dtv
MW00777932

»Es fällt mir so schwer, in so vielen Welten zugleich zu leben, es fügt sich alles nicht zusammen. Ich denke oft, ob es Dir auch so geht?« In der als Brief verfaßten Titelgeschichte erzählt eine im Nachkriegsdeutschland geborene junge Frau und Jüdin aus ihrem Leben. Sie beschwört gemeinsam verbrachte Zeiten mit ihrem Freund Josef, reflektiert die Trennung und berichtet ihm von sich und ihrem Sohn, von Lese- und Alltagserfahrungen. – Barbara Honigmann hat 1986 mit diesen sechs Erzählungen großes Aufsehen erregt. Als »naiv, schmucklos, dabei anschaulich und bildhaft« wurde der Ton gerühmt, der »seinen Reiz daraus zieht, wie Barbara Honigmann scheinbar nebensächlich den Niederschlag der Geschichte im Persönlichen beschreibt« (Süddeutsche Zeitung).

Barbara Honigmann, geboren 1949 in Ostberlin, studierte Theaterwissenschaften und war als Dramaturgin und Regisseurin tätig. Seit 1975 freischaffende Autorin und Malerin, siedelte 1984 nach Straßburg über. Sie erhielt zahlreiche literarische Preise, u. a. den Kleist-Preis 2000.

Barbara Honigmann

Roman von einem Kinde

Sechs Erzählungen

Deutscher Taschenbuch Verlag

Dem Andenken an meinen Vater
Georg Honigmann (1903–1984)

Ungekürzte Ausgabe
Juni 2001

www.dtv.de
Erstveröffentlichung: Darmstadt/ Neuwied 1986
Umschlagkonzept: Balk & Brumshagen
Umschlagbild: ›Selbstbildnis‹ von Barbara Honigmann
Gesamtherstellung: C. H. Beck'sche Buchdruckerei,
Nördlingen
Gedruckt auf säurefreiem, chlorfrei gebleichtem Papier
Printed in Germany · ISBN 3-423-12893-3

Inhalt

Roman von einem Kinde

Lieber Josef!
Ich möchte Dir einen Brief schreiben. Einen langen Brief, in dem alles drinsteht. So lang wie ein Roman. Ein Roman von einem Kinde.
Du sagst bestimmt, da muß man schon ganz schön tief unten sein, wenn man mit so was anfängt, mit langen Briefen und Romanen. Ich weiß auch, daß Du denkst, daß das alles nichts hilft, aber Du weißt auch, daß ich denke, es hilft doch. Und wie kommt es denn, daß wir alle so von Gott verlassen dastehen? Manchmal habe ich auch Angst, daß es eine richtige Erlösung gar nicht gibt, denn das müßte doch ein Geschenk sein, aber wir müssen ja alles kaufen, kaufen.
Lieber Josef, ich möchte, daß unsere Freundschaft nie aufhört und daß wenigstens irgendein Ichweißnichtwas immer noch dableibt zwischen uns. In den ganzen Jahren, in denen wir uns nicht gesehen haben, ist es doch leichter geworden zwischen uns, nein? Ich meine, leicht schwer im Gegensatz zu schwer schwer, denn alles andere ist so schwer schwer. Ich denke so oft an Dich, und ich möchte Dich oft bitten, daß Du mir sagst, wie ich alles machen soll. Ich möchte Dir schreiben, wie es mir geht und wie alles gekommen ist und wie alles geworden ist. Manchmal habe ich Angst, daß Du mir böse bist. Ich möchte soviel erzählen, erzählen, alles erzählen, und Du möchtest immer stumm sein. Warum?
Siehst Du mich, ich liege krank im Bett, und ich liege schon so lange im Bett, daß es mir manchmal scheint,

als ob ich gar nicht mehr aufstehen kann und nie mehr gesund werde. Natürlich, eine richtige Krankheit habe ich gar nicht, und es ist ja lächerlich, daß einem ein Arzt helfen soll.
Einmal möchte ich eine Feder in der Hand halten oder eine goldene Kugel, mit der ich mich und Dich berühren muß, und dann würden wir erlöst sein. Oder ein Losungswort, aber keiner weiß das Wort. Einer vielleicht, aber man muß ihn erst finden, und muß den Weg erst finden und nein, keiner weiß es.
Nur manchmal, wenn ich mit Leuten ins Gespräch komme, mit Leuten, die ich eigentlich gar nicht kenne, auf der Straße oder im Gemüseladen, und wir sprechen erst über das Einkaufen und dann kommen wir auf das und jenes und sie erzählen etwas von ihrer Familie, da ist manchmal so ein Moment, plötzlich, ich weiß nicht woher, fühle ich mich so leicht, so erleichtert, und ich hoffe, ich könnte ihnen etwas ablauschen. Denn dann scheint es mir nicht mehr, als ob keiner was weiß, sondern nur, als ob ich allein nichts weiß. Sie wissen vielleicht alles, und alles ist ganz einfach, nur ich weiß es nicht, aber von ihnen kann ich es vielleicht erfahren. Es ist ja auch manchmal so ein Gefühl, wenn man abends in die hellen Fenster vom gegenüberliegenden Haus sieht oder in den Straßen zwischen Gärten und Häusern in einer fremden Gegend spaziert. Da ist alles so friedlich und glücklich in sich abgeschlossen, und ich werde dann ganz sehnsüchtig und denke, da, dort, hinter diesem Fenster, in diesem Haus, da wissen sie, wie alles

gehen muß. Und ich möchte hingehen und anklopfen und fragen, ob ich reinkommen und ob ich auch dort wohnen darf, und dann möchte ich immer mit diesen Menschen zusammenbleiben.
Ach, Josef, ich möchte Dich gerne sehen. Manchmal denke ich, wenn ich Dich wenigstens noch ein einziges Mal sehen könnte. Wir könnten »Mensch-ärgere-dich-nicht« spielen oder »Müde, matt, krank, tot«, und wir könnten zusammen über alles sprechen.

Weißt Du noch, wie wir damals nach Sagorsk herausgefahren sind, mit der kleinen Vorortbahn, verbotenerweise über die 30-km-Grenze aus Moskau heraus? Wie wir an den Gärten und Datschen und großen und kleinen Villen vorbeigefahren sind, und es sah alles so aus, wie wir es in den russischen Romanen gelesen hatten? In Sagorsk lag hoher Schnee, und wir haben uns angefaßt und sind den Weg durchs Dorf gegangen, an dem sich die kleinen engen Holzhäuser tief in den Schnee hineingeduckt haben. Der Weg ging immer weiter hinunter, und das Kloster schien immer weiter nach oben zu steigen, ganz hoch oben sahen wir den kleinen Wald von goldenen und purpurblauen Kuppeln und Türmen und Kreuzen. Als wir dort angekommen waren, wußten wir gar nicht, was wir da machen sollten, und sind in die erstbeste Tür hineingegangen. Dahinter war eine riesige Halle mit vielen Menschen, die beteten und zündeten Lichter an, und so viele Bettler und Krüppel liefen hinter uns her und zogen uns an den Mänteln. Das war alles so unheimlich, da wollten wir lieber wieder weg. Weißt Du noch? Dann noch so viele andere Kirchen, alle dunkel, immer Ikonen, immer Kerzen, wir konnten es nicht mehr sehen und sind rausgerannt und standen wieder im Schnee draußen, und es war so kalt. Aber dann haben wir die ganz kleine Kapelle entdeckt, eine wie ein kleines Kind unter den erwachsenen Kirchen. Es drängten sehr viele Leute hinein, und es hieß, dort fließe heiliges Wasser. Deshalb wollten wir auch hineingehen. Das heilige Wasser floß aus einem Bierhahn, der in ein Kruzifix einmontiert war, und die Leute standen Schlange, um sich heiliges Wasser in Flaschen abzufüllen. Es waren meist Wodkaflaschen, um die eine »Prawda« gewickelt war. Dann hat mir plötzlich eine dicke alte Frau ein Heft in die Hand gedrückt und gesagt, ich soll es aufschlagen und lesen. Es war von Anfang bis Ende vollgeschrieben mit russischer Schrift. Nein, ich soll nicht leise lesen, sondern laut, sagte die alte Frau, ich soll laut vorlesen für die anderen. Es stand schon eine ganze Traube alter Frauen um mich herum, die warteten. Sie sagten, in dem Heft sei die Offenbarung eines vergessenen Heiligen, aber sie konnten nicht lesen, und ich mußte ihnen die Offenbarung verkünden und konnte sie auch nur mühsam entziffern. Die alten Frauen halfen mir aber, sie kannten den Text auswendig. Nur aufhören durfte ich nicht, bevor das ganze Heft durchgelesen war. Es dauerte sehr lange, und plötzlich wußte ich nicht mehr, wo Du warst, und hatte Angst, daß ich Dich verloren hätte, aber ich konnte nicht nach Dir suchen, denn die alten Frauen hielten

mich fest. Als sie mich dann endlich losließen, habe ich trotzdem noch ein Gläschen heiliges Wasser getrunken, und ich fürchtete schon, ich finde Dich nie wieder, aber dann plötzlich hab ich Dich gesehen, ganz nah neben mir, in der Ecke, an die Wand gelehnt, und Du hast die ganze Zeit dagestanden und mir zugeschaut.
Und weißt Du noch, wie Du mich dann abends, als wir wieder in Moskau waren, ganz spät abends, gefragt hast: »Und was machst Du, wenn es hilft, das heilige Wasser?«
Aber es hat ja nicht geholfen, wir sind ganz auseinandergekommen.
Und was hat uns eigentlich auseinandergebracht? Habe ich Dir weh getan? Du hast mich auch so verletzt.
Oft muß ich denken, wann war es eigentlich, an welchem Tag, daß wir uns verloren haben. An welchem Tag waren wir noch zusammen, und an welchem Tag war schon wieder jeder für sich allein. Ich möchte wenigstens die Stelle des Übergangs, die Grenze, an der die Zustände wechseln, erkennen können. Zuerst, wenn man auf die Welt kommt, da ist es so ein deutlicher Übergang, aber dann, nachher, später fließt immer eins ins andere. Ich will Dir erzählen, wie es war, als ich meinen Sohn geboren habe.

Am 30. September, morgens, bin ich zur Untersuchung ins Krankenhaus nach Berlin-Buch gefahren, aber da war noch nichts. Ich habe einen langen Spaziergang durch den Wald von Buch gemacht,

obwohl es geregnet hat, und bin sehr weit gelaufen, bis ich ganz erschöpft war.
Auf dem Weg nach Hause habe ich in der S-Bahn meine Freundin getroffen, und sie ist mit zu mir gekommen. Wir haben Tee getrunken und uns unterhalten, und sie erzählte davon, wie ihr Vater gestorben ist, als sie noch ein Kind war. Davon hatte sie früher noch nie gesprochen, obwohl wir uns schon so lange kennen. Dann kam ein Freund und brachte ein paar Babysachen, sogar eine Mütze, die seine Frau extra gestrickt hatte. Dann ging ich wieder los, weil ich noch mit einer anderen Freundin verabredet war, die hatte auch Babysachen für mich gesammelt, und ich wollte sie holen. Ich fuhr nochmal mit der S-Bahn aus der Stadt heraus, nach Karlshorst, wo ich so lange gewohnt hatte und wo wir zusammen zur Schule gegangen waren. Gleich, als ich ankam, stach es mich in meinem dicken Bauch, aber ich wollte nichts sagen, es war mir unangenehm vor meiner Freundin, denn sie ist Ärztin und sollte sich nicht von mir in Anspruch genommen fühlen. Aber es waren doch die Wehen, wir mußten schnell ein Taxi bestellen und in meine Wohnung fahren und eilig zusammenpacken. Und dann noch einmal die lange Fahrt zum Krankenhaus. Dort stellten sie fest, daß alles schon sehr weit war und höchstens noch zwei Stunden dauern würde, und die Hebamme fragte mich, ob jemand benachrichtigt werden soll. Ich sagte, sie soll meine Mutter anrufen.
Dann hat es doch noch die ganze Nacht gedauert. Es ist wahr, daß es weh tut, aber ich fühlte mich stolz und

stark und ganz bei mir selbst. Ich hatte die Hebamme gebeten, daß sie das Licht ausmacht, das hat sie auch getan, und ich lag ganz allein in dem dunklen Kreißsaal, nur vom Flur kam ein entferntes Licht. Alles war still, der Arzt und die Hebamme hatten sich schlafen gelegt, und erst später, schon gegen Morgen, legten sie noch eine Frau zu mir ins Zimmer, mit der habe ich zwischen den Wehen ein paar Worte gesprochen. Wir waren ganz gelassen, und ich mußte an Kleists Brief denken: »Heiter, wie in der Nähe einer Todesstunde.« Dann sah ich, wie es draußen dämmerte. Solange es dunkel gewesen war, schien es mir, als ob ich mich noch einmal besinnen könnte. Aber als es hell wurde, da wußte ich, daß es nun beginnen mußte, denn alles begann wieder, Leute kamen herein, Leute gingen heraus, sie sprachen und machten viel Geräusch, es begann eine andere Zeit, ein Tempo.

Vor dem Fenster sah ich einen Baum, der war, wie mir schien, in dieser Nacht gelb geworden.

Dann mußte das Kind zur Welt gebracht werden. Und plötzlich kehrte sich das Unterste zuoberst, und es war, als rase ich wie alle Elemente zugleich, wie Feuer, Wasser und schlagende Steine, und ich konnte nicht mehr unterscheiden, ob ich gebäre oder ob ich selbst geboren werde. Und als die Hebamme sagte: Luft anhalten, da wußte ich nicht mehr, wie, ich wußte nicht, was sie meinte, denn ich fühlte keine unterschiedenen Körperteile und Organe mehr, es war alles nur noch eins. Es wurde immer lauter und aufgeregter, und die Hebamme gab ihre Kommandos

wie ein Kapitän bei stürmischer See. Zum Schluß habe ich sie und den Arzt getreten und habe das Kind ausgespieen. Und einen Moment später schon herrschte wieder vollkommene Ruhe. Nicht die Spur von Schmerz im Körper, nichts als Frieden.
Als ich nach einer Woche aus dem Krankenhaus nach Hause kam, da war mir in meiner Wohnung alles ganz fremd geworden, Bett und Stühle, Bücher und Bilder. Alles, was nicht das Kind war und was aus früheren Zeiten herstammte, erschien mir nun wie »draußen«. Das Kind aber war mir so selbstverständlich und so nah, wie ich es mir selber bin, und es kam mir direkt absurd vor, daß es heißen soll: Ich habe ein Kind bekommen. Denn ich war ja nur selber mehr geworden.
Außer meiner Mutter und meinen Freundinnen hat sonst keiner auf das Kind gewartet. Auf allen Formularen, die ich dann ausfüllen mußte, habe ich über die ganze Rubrik »Vater« nur einen langen Strich gezogen. Und keiner soll denken, daß man das leicht macht. Und nicht, weil ein bestimmter Vater fehlt, sondern weil es ist, als ob man selbst den letzten Strich auf dem Zeugnis der Verlassenheit zieht.
Und dann habe ich zu Hause gesessen und habe meinen Sohn bewacht und aufgezogen wie eine kleine Pflanze, beinahe aus dem Nichts. An jedem Abend habe ich neben seinem Bettchen gesessen und ihn immer nur angesehen und angestaunt, wie er so still daliegt und schläft und doch lebt. Und an jedem Vormittag habe ich mein Kind eingepackt wie

ein kleines Paket und habe es die drei Stockwerke heruntergetragen und in den Wagen gelegt und im Friedrichshain spazierengefahren. Dann kam schon bald der lange Winter, und es gab nichts eigentlich Schönes mehr dort im Park, aber ich hatte immer das Gefühl von einem ganz herrlichen Leben, das ich nun führte, und ich war ganz ruhig und konzentriert in dieser Zeit. Ich habe mich auf eine kalte Parkbank gesetzt und hab mein Buch gelesen und immer wieder in den Kinderwagen reingesehen und es gar nicht fassen können, daß da mein Kind liegt, nicht ein Kind, irgendein Kind, nein, mein, nur mein Kind.

Ich hatte noch nie vorher das Glück so an meinem ganzen Körper wie warme weiche rollende Wogen gespürt. Es war mir plötzlich auch ganz unmöglich geworden, mir vorzustellen, daß ich überhaupt schon so lange vorher gelebt hatte, ich war über jedes Stück aus meinem Vorleben wirklich erstaunt, über all die Dinge, die da schon waren, über den Nagellack an meinen Fußnägeln zum Beispiel, wieso er immer noch dran war, und ich mußte an stehengebliebene Wände in Ruinen denken, an denen manchmal noch Tapeten kleben und die Stelle zu erkennen ist, wo früher ein Bild gehangen hat. Es war, als ob ich alles neu kennenlernen müßte, und wenn ein Besuch gekommen ist, hat es mich nur gestört, ich war viel lieber allein mit meinem Kind. Ich weiß gar nicht, woher plötzlich mit solcher Kraft so eine Liebe und so ein starkes Sich-gebunden-Fühlen herkommen kann. »Sich-gebunden-Fühlen in einem Sturm von Frei-

heitsgefühlen, das ist Offenbarung«, soll, wie mir einer erzählte, Nietzsche gesagt haben.
Es fing auch damals eine neue Art Schlaf an, das war nie mehr so ein ganz Versunkensein, es war immer nur noch eine Art Halbschlaf, in dem ich das Gefühl für meine Haltung und die Lage aller einzelnen Glieder meines Körpers behalten habe, so ein Dämmerzustand, in dem auch die Grenze zwischen meinem Körper und dem des Kindes verschmolz, und ich fühlte es oft so, als ob ich selbst im Körbchen liege, und wußte nicht mehr, ob ich die Mutter oder der Säugling war.
Das ging lange so. Als mein Sohn seinen ersten Zahn bekam, passierte es mir, daß ich mich mit offenem Munde vor den Spiegel stellte, um in meinem Mund nach seinem Zahn zu suchen. Und dann einmal, da küßte ich mich mit meinem Sohn auf den Mund, und auch am ganzen Körper hielten wir uns fest und zogen uns aneinander, immer fester, bis sich das Kind ganz an mich ansaugte, so daß wir beide keine Luft mehr bekamen. Mir wurde schwarz vor Augen und schwindlig, wie kurz vor dem Tode, und ich riß ihn mit aller Kraft von mir weg. Da hatte ich unser beider Leben gerettet.
Aber das war nicht wirklich, das war ein Traum.
Man will seinem Kind nur alles Liebe tun, und dabei macht man alles falsch. Und so ist es auch mit allen anderen Menschen, wenn man jemanden richtig liebt, dann ist es für ihn immer eine Zumutung. Ich glaube, daß die Eltern immer in der Schuld der Kinder bleiben und nicht umgekehrt.

Aber ich konnte mich gar nicht genug wundern, daß man das kleine Kind, das man doch vorher gar nicht kannte und das so lange noch gar kein richtiger Mensch und vielmehr ein kleines Tierlein ist, gleich so schrecklich lieb hat. Es ist schön, daß man zuerst so lange stumm miteinander lebt und erst langsam zusammen ein Wort nach dem anderen findet und das ganze Leben buchstabieren lernt.
Vor dieser Zeit dachte ich, wenn man ein Kind hat, dann ist man geschützter und abgewehrter gegen draußen und gegen alles. Aber das ist gar nicht so, denn in allem ist gleich wieder so viel Angst und so viel Bangigkeit und man wird noch viel empfindlicher als vorher. Bevor ich das Kind hatte, hat es mich nie gegruselt, nachts durch den Park zu gehen, und ich hatte nie Angst im Flugzeug und keine Angst im Auto und habe niemals meine Wohnungstür abgeschlossen. Aber jetzt ist alles ganz anders geworden – ich fürchte mich im Auto, ich fürchte mich bei jedem Flug, ich schließe abends die Tür von innen zu und habe Angst vor tausend Sachen, die mir oder dem Kind zustoßen könnten.
Damals, nach Johannes' Geburt, an den langen Abenden, an denen es immer so still in meiner Wohnung war, habe ich den »Wilhelm Meister« gelesen und danach den »Grünen Heinrich«, und eigentlich weiß ich nicht, warum ich mich diesen Männern so nahe fühlen konnte. Dem Grünen Heinrich vielleicht wegen des maßlosen Anspruchs und des Scheiterns am Schluß, und beim Wilhelm Meister weiß ich es genau, daß es wegen dieser

Worte war, die er vor dem Anblick des schlafenden Felix sagt:
»O, rief er aus, wer weiß, was noch für Prüfungen auf mich warten, wer weiß, wie sehr mich begangene Fehler noch quälen, wie oft mir gute und vernünftige Pläne für die Zukunft mißlingen sollen, aber diesen Schatz, den ich einmal besitze, erhalte mir, du erbittliches oder unerbittliches Schicksal! Wäre es möglich, daß dieser beste Teil von mir selbst vor mir zerstört, daß dieses Herz von meinem Herzen gerissen werden könnte, so lebe wohl Verstand und Vernunft, lebe wohl jede Sorgfalt und Vorsicht, verschwinde, du Trieb zur Erhaltung! Alles, was uns vom Tiere unterscheidet, verliere sich! und wenn es nicht erlaubt ist, seine traurigen Tage freiwillig zu endigen, so hebe ein frühzeitiger Wahnsinn das Bewußtsein auf, ehe der Tod, der es auf immer zerstört, die lange Nacht herbeiführt.«

Einmal, schon ein oder zwei Jahre später, war ein merkwürdiger Tag. Ich wohnte bei meiner Freundin in deren kleinem Haus auf der Insel Usedom, und es war schon sehr heiß, obwohl es erst Mai war. Ich saß nackt in einem Liegestuhl und hab in einer Illustrierten gelesen, die wir gerade vorher im Dorfkonsum gekauft hatten. Johannes, mein Sohn, hat mit dem Gartenschlauch gespielt und sich naßgespritzt, und unter einem schattigen Baum saß das Baby von meiner Freundin in seinem Stühlchen. Ich las die Zeitung gar nicht, blätterte bloß und guckte mir die Fotos an, und da war ein ganz kleines Foto auf einer

Seite, ein Kriegsfoto, und ich habe nicht weiter hingesehen, aber als ich die Zeitung schon zugeklappt hatte, da wollte ich auf einmal doch zurückblättern und es mir ansehen. Auf dem Foto sah man einen deutschen Soldaten, der legte sein Gewehr auf eine Frau an. Die Frau hatte ihr Kind auf dem Arm. Die Frau mit dem Kind auf dem Arm lief vor dem Soldaten weg. Das Kind war schon ein großer Junge von fünf bis sechs Jahren, aber sie trug es auf dem Arm wie ein Baby, und dem Jungen waren aus einem unerklärlichen Grund die Hosen ganz bis auf die Füße heruntergerutscht. Der Soldat war beim Schießen, und die Frau war im Laufen. Der Soldat jagte die Frau, er schoß nicht nur auf sie, er jagte sie.
Meine Freundin kam aus dem Haus, und ich weiß nicht warum, ich mußte die Zeitung zuschlagen. Später habe ich sie direkt vor ihr versteckt, ich wollte nicht, daß sie das Bild auch sieht. Vielleicht, weil ich sie schonen wollte oder weil uns das gemeinsame Ansehen so hilflos gemacht und uns so getrennt hätte, oder ich weiß nicht warum.
Später sind wir dann mit unseren Kindern spazierengegangen und sind weit gelaufen bis ins nächste Dorf. Dort steht ein barockes Gutsschloß an einem mit Seerosen bedeckten Teich, heruntergekommen zwar und von innen mit viel Ölfarbe fast ganz ausgestrichen, aber es steht doch wenigstens noch da. Es war ein schöner weicher Nachmittag, und alle Leute schienen mir so freundlich zu sein, und ich hatte selbst so einen großen Wunsch, zu allen Menschen freundlich zu sein und dankbar irgendwie. Wir hatten unsere Kinder lieb und

hatten uns beide lieb, meine Freundin und ich, und alles drückte sich plötzlich so stark in mein Herz ein, denn es war noch weich und aufgelöst vom Anblick des Bildes, als ob ich selbst etwas Schreckliches und Schweres gerade überstanden hätte.
Auf dem Rückweg zu unserem Haus haben wir einen Arm voll Weißdorn gepflückt, aus Verehrung für Proust, und uns über den Anfang der »Suche nach der verlorenen Zeit« unterhalten, über das Schlafen und das Nächtliche darin und wie nachher aber das ganze Buch überhaupt ein Exzeß des Wachseins ist, wo nichts ungesehen, ungehört, ungetastet, ungerochen und ungeschmeckt bleibt. Ich hatte irgendwann einmal nur aus Neugierde den ersten Band von Proust aufgeschlagen und zu lesen angefangen, aber dann, nach der Stelle mit dem eingetauchten Madeleinetörtchen, habe ich, eigentlich ohne noch einmal hochzublicken, alle sieben Bände durchgelesen. Ich verehre einige Dichter, aber keinen so wie Proust, denn Proust spricht so deutlich, daß mir ist, als lese er mir meine eigenen Gedanken vor und ich wußte vorher gar nicht, daß ich das alles denke.
Und als ich dann abends wieder allein war und Johannes neben mir in seinem Bettchen schlief, da kehrte das Bild wieder zu mir zurück, wie die Frau mit dem Jungen rannte und der Soldat auf sie anlegte und wie dem Jungen die Hosen runtergerutscht waren. Das schlimmste waren irgendwie die heruntergerutschten Hosen.
Und dann dachte ich, seltsam, heute war ein ganz anderer Tag als alle anderen, nicht diese Abwesen-

heit wie sonst immer, nein, ich war aufmerksam, ich konnte sehen, ich konnte hören.
Und dann dachte ich:
Die können doch nicht alle Kinder töten, damit keiner mehr erwachsen wird. Wer mordet denn dafür, daß keiner mehr wächst und keiner mehr erwachsen werden kann. Die. Die, wer die sind?
Kinder, jetzt spielen wir das allerletzte Spiel.
Zählt ab.
Rennt und versteckt euch.
Wenn die kommen, soll keiner uns mehr finden.
Die wollen auf uns zeigen, aber die werden uns nicht mehr zu sehen kriegen.
Weg, schnell weg, einpacken, schnell, sie kommen schon, lauft, und wenn einer hinfällt, aufstehen. Schnell.
Die kriegen euch aber.
Versteckt euch.
Aber die finden jeden.
Aber uns nicht.

An irgendeinem Tag habe ich die kleine, einzige Berliner Synagoge gesucht und habe sie in einem Hinterhof in der Mitte der Stadt, dort, wo sie wirklich am dichtesten und am schlimmsten ist, gefunden. Die Synagoge war festlich geschmückt, denn es war der Sederabend, der erste Abend des Pessachfestes, und es hieß, daß viele kommen würden. Aber wir saßen in einem ganz kleinen Raum, ich dachte, wie ein Klassenzimmer, und die paar Leute, die da waren, saßen zusammen wie die Schüler einer Schulklasse, von der

die meisten noch nicht aus den Sommerferien zurückgekehrt sind. Ich fühlte mich fremd und fühlte mich doch willkommen.
Ich setzte mich zu den Frauen nach hinten, wir saßen ganz eng zusammen, und ich nahm ein Buch wie die anderen und schlug es von hinten auf und blätterte rückwärts und stieg mit den anderen zurück bis in die alte Zeit in Ägypten. Vor dem Thoraschrank hing ein weißer Vorhang, auf dem der goldene Stern Davids leuchtete, geschmückt mit Edelsteinen in bunten Ornamenten. Wir saßen, weil der Raum so klein war, sogar in der letzten Reihe so dicht vor ihm, daß man sah, die Edelsteine waren nur Glas. Die Gebete waren rasch und beinahe flüchtig und dabei stark und männlich und nicht bittend, eher fordernd. Der ganze Gottesdienst nur kurz und schnell alles vorbei, und dann standen alle auf und wünschten sich gute Feiertage, und die, die einander näher kannten, gaben sich einen Kuß.
Dann sind die, die eine Familie haben, nach Hause gefahren, und die, die niemanden haben und ich auch, sind in das Gemeindehaus gefahren, denn dort war eine Sedertafel für sie gedeckt. Das winzige Häuflein verteilte sich auf ein paar Autos, denn das Gemeindehaus ist in einer anderen Straße als die Synagoge, und als sie losfuhren in den kleinen wackligen Autos, da sah ich wirklich die verstreutesten unter den Verstreuten, die Juden unter den Juden. Wir fuhren über die Prenzlauer Allee über den Alexanderplatz. Der Alexanderplatz ist mir früher so schwer gewesen und stand mir immer als ein Hinder-

nis im Weg, durch das ich mich durchkämpfen mußte, und meistens waren hier schon alle Wege verloren von all dem Rennen und Warten und Weitergehen und Treppen hinauf und Treppen hinab, da war alle meine Kraft schon verbraucht. Aber seltsam, an diesem Tage, als ich mitten in dem versprengten Häuflein hinüberklapperte, da wurde mir dieser Platz so leicht, sogar lächerlich, denn wir mußten gar nicht hindurch durch ihn, er öffnete sich vor uns wie das Rote Meer, und die ewig graue, verdunkelnde Wolkensäule schüttete ihren Regen aus, und als wir uns umsahen, da stürmte es und tobte es, und der Alexanderplatz blieb hinter uns und holte uns nicht mehr ein und versank in Nebel und Regen wie Pharaos Heer.

Als wir in der Oranienburger Straße ankamen, waren die Tische schon gedeckt, jeder suchte sich einen Platz, aber ich habe nicht gesucht und mich einfach irgendwohin gesetzt, an irgendeinen Tisch. Da saßen schon ein paar alte Frauen, mit denen unterhielt ich mich. Dann kam plötzlich jemand dazu, ich nahm es zuerst nur so neben dem Gespräch wahr, aber ich spürte etwas Strahlendes, Großes, Schönes, Schwarzes, Aufrechtes, und ich mußte aufhören zu sprechen und mußte hinsehen, denn das mochte vielleicht die Prinzessin Sabbath sein. Und da sprach mich die Prinzessin Sabbath an: Guten Tag, Babu. Sie kannte mich, und da erkannte ich sie auch. Es war Daisy, ich war mit ihr zusammen in der Schule gewesen, sie ein paar Klassen höher. Ich hatte sie immer bewundert, weil sie so schön war, aber wir hatten in der ganzen

Schulzeit nur ein paarmal auf dem Hof zusammengestanden, und seitdem hatte ich sie nicht mehr gesehen, nur manchmal etwas über sie gehört. Nun war sie wieder da und setzte sich neben mich und blieb den ganzen Abend neben mir sitzen, und wir schwatzten unaufhörlich, und keiner ermahnte uns. Da saßen wir im Hinterhof parterre, in einem »Kulturraum« der Jüdischen Gemeinde, und die vorgeschriebene Frage wurde gestellt: Was unterscheidet diese Nacht von allen anderen Nächten? Und dann fing die Erzählung, die lange Haggada fing an, der Kantor sang das lange Lied von der Knechtschaft in Ägypten, und wir lasen den Text in einem buntbebilderten Buch, das jeder zuvor auf seinem Platz gefunden hatte. Vierhundertdreißig elende Knechtsjahre. Ich habe mit den anderen ein hartes Ei in Salzwasser getaucht und Bitterkraut und ungesäuertes Brot gegessen und den Wein getrunken, vier Becher, nicht mehr und nicht weniger. Der Wein kam aus Israel und die Mazza aus Budapest und die Bücher, die wir in der Hand hielten, aus Basel und der Kantor, der uns vorsang, aus Westberlin. Und woher würde Elias kommen, für den wir die Tür offenstehen gelassen hatten? Und wird er kommen? Aber ich wußte irgendwie schon, daß er nicht kommen wird. Ich hatte es mir schon so oft überlegt, Elias oder Messias oder Gott – von denen kann sich keiner mehr hier blicken lassen. - Don't let yourself be seen here anymore

Dann, irgendwo in der Mitte der großen Erzählung, kam das Essen. Ein großes, üppiges Essen, als ob man vorher wirklich nur immer Sand im Mund

gehabt hätte. Das Essen kam aus der Küche nebenan und wurde durch ein kleines Fenster gereicht, man mußte sich davor anstellen, wie in einer Betriebskantine, und in der Schlange wurde gedrängelt.
Als erster bekam der Kantor sein Essen, und ich sah zu ihm und sah, die Anstrengung von dem langen würdevollen Singen mußte sehr groß gewesen sein. Oder was war es sonst, daß er sein Essen wie gejagt, so heißhungrig herunterschlang, mit dem Kopf fast im Teller und mit ängstlichem Blick nach rechts und nach links. Er saß jetzt ganz allein an dem langen Tisch, der inzwischen schon ziemlich ramponiert aussah, der kleine alte polnische Abraham Süß, der nach allem, was er erlebt hat, vielleicht lieber »Bitter« heißen möchte. Ich mußte wegsehen.
Dann aßen wir alle, und es wurde einem ganz heiß dabei, und alle redeten und unterhielten sich, die meisten sprachen davon, wie es früher war, und wurden traurig. Die alten Frauen an meinem Tisch wollten ein Foto von meinem Sohn sehen, und ich zeigte es ihnen, und sie bewunderten meinen Sohn und wurden ganz fröhlich. Und wieder traurig. Dann waren alle satt von dem vielen Essen und von dem schweren Wein müde, und es war auch schon spät, durch das Fenster sah man auf den dunklen Hof hinaus, und man sah ein kleines Lämpchen an der Feuerleiter leuchten, einen schwachen Stern Davids an einer rostigen Himmelsleiter.
Abraham Süß fing wieder zu singen an. Der zweite Teil hat die großen Gebete, und manches Lied und die Erzählung war noch lang, aber langsam ging sie

doch zu Ende, und dann kam die Stelle, die mit großen Buchstaben geschrieben steht:
DAS KOMMENDE JAHR IN JERUSALEM!
Damit hörte es auf und der Abend war zu Ende, wir standen auf und verabschiedeten uns, und eine von den alten Frauen hat mich in ihrem alten Auto durch die dunkle Stadt nach Hause gebracht.
Einmal hatte ich einen Traum. Da war ich mit all den anderen in Auschwitz. Und in dem Traum dachte ich: Endlich habe ich meinen Platz im Leben gefunden.
Aber jetzt dachte ich an den schwachen Stern und an die rostige Himmelsleiter.

Lieber Josef! Nun habe ich tatsächlich angefangen, diesen Brief zu schreiben. Ich könnte Dir natürlich nie alles so erzählen, wie ich es jetzt aufgeschrieben habe. In einen Brief kann man ja viel leichter alles hineinschreiben, in einem Brief fühlt man sich doch viel sicherer.
Unten, an meinem Haus, ist der Briefkasten. Da stecke ich alle meine Briefe morgens hinein und klopfe dreimal, damit sie auch ankommen, das hat mir meine Freundin so gezeigt. Aber manchmal bekomme ich abends Angst, und ich muß darüber nachdenken, ob es ein richtiger Briefkasten ist und ob ich nicht vielleicht eines Tages, wenn ich näher hinsehe, finde, es ist nur ein alter Pappkarton und darin steckt nichts als loses Laub. Wenn wir uns nun nie mehr wiedersehen? Manchmal bin ich so traurig über alles, ich wache vor Traurigkeit in der Nacht auf

und muß weinen, und auch am Tag muß ich manchmal plötzlich weinen vor lauter Jammer.
Ich habe oft solche Sehnsucht. Sehnsucht nach Deiner Nähe, daß wir beieinandersitzen und uns unterhalten, nicht weil ich etwas Bestimmtes sagen oder weil ich eine Antwort hören will, nein, nur die Wärme des nah Beieinandersitzens wäre schon genug. Es kommt doch in so einem Gespräch manchmal ein Moment, wenn man sich einander wirklich ganz nahe fühlt, da wird einem so wohlig und man möchte sich in all den Worten ausstrecken und in die Sätze hineinlegen wie in einen bequemen alten Sessel. In der Wohnung meiner Mutter stand so ein großer Sessel, und ich habe mich dahineingelegt und mein Buch gelesen, wenn ich ganz allein in der Wohnung war, und es ist jedenfalls in meiner Erinnerung so, daß ich fast immer allein in der Wohnung war. Wenn man nämlich in so einem Sessel oder einem vertrauten Gespräch schön ausgestreckt ist, dann steigt manchmal auch ein Mut von Ichweißnichtwoher auf, kein großer, nur ein kleiner, gerade so groß, daß ich denken kann: Ach, vielleicht schaffe ich es doch.
Und was willst Du denn eigentlich schaffen, fragst Du mich. Ich meine das ganze Leben. Denn meistens denke ich doch, daß ich es nicht schaffe, und daß ich nichts schaffe. Denn dann kommt wieder so ein Tag, da gehe ich ins Badezimmer, und ich sehe auf dem Boden eine Wasserlache und sehe, die kommt aus dem Klo, und da wird mir gleich ganz schlecht, denn es ist mir klar, das Klo ist verstopft, und das macht mich sofort so mutlos, denn wie soll ich das wieder in

Ordnung bringen. Aber dann fasse ich mich und öffne den Klodeckel und fange tapfer an, das Klo auszuräumen, und ich ekele mich, fasse aber doch ganz tief hinein und hole Wäsche, Wäsche, meterlang Schmutzwäsche heraus. Und dann rufe ich endlich meinen Freund, der nämlich die ganze Zeit im Nebenzimmer sitzt und wohl wissen muß, was da passiert ist, aber keine Anstalten macht, nach mir zu sehen und mir zu helfen. Dann kommt er endlich, aber er läßt sich gleich auf einem Eimer nieder und lehnt den Kopf an die Wand und wird bleich und ohnmächtig.
Und ich stehe dann da, zwischen dem verstopften Klo, der Schmutzwäsche und dem ohnmächtigen Menschen.
Das war nicht wirklich, das war ein Traum, aber doch ist es wirklich so. Es fällt mir so schwer, in so vielen Welten zugleich zu leben, es fügt sich alles nicht zusammen. Ich denke oft, ob es Dir auch so geht? Aber bei Dir ist sicher alles anders, Du lebst ja irgendwie gerader, nicht so schwankend.
Ein Mann ist doch schon in seiner ganzen Gestalt gerader, mit schärferen Linien und sogar manchen Kanten. In den letzten beiden Wintern bin ich oft abends zum Aktzeichnen gegangen. Wir hatten dort Männer und Frauen als Modelle, und dabei habe ich es erst richtig bemerkt, wie bei den Männern alles so gerade und bei den Frauen alles so rund ist. Und da dachte ich mir oft, daß wohl die Männer schon aus ihrer Gestalt heraus ihren Weg immer so gerade gehen können.

Manchmal habe ich einen Traum im Wachen, daß ein Weg zu mir kommt und sich vor mich hinlegt und mit mir spricht und sagt: Komm, folge mir einfach, ich werde dich führen.

Aber nun will ich Dir noch etwas schreiben, eine Sache, bei der ich sehr schwach und sehr schwankend war und bei der ich Angst habe, daß Du sie nicht verstehen wirst.
Es kam nämlich, daß ich fast geheiratet hätte, und ich weiß heute auch nicht mehr, wie es kam, daß ich es wollte.
Ich hatte einen Freund, und er hat mich einmal danach gefragt. Er hat mich gefragt, ob ich ihn heiraten wolle. Ich konnte darauf nichts sagen und nichts antworten, und habe nur hm, hm gesagt, und das hatte keine Bedeutung. Ich war gerührt, denn es hatte mich ja noch keiner darum gebeten, und dann habe ich gesagt, ich muß meine Mutter fragen. Es war mein erster Gedanke, daß meine Mutter es mir sagen soll, daß sie entscheiden soll, weil ich es nicht kann. Ich war selbst erschrocken, wie verloren ich war. Ich habe mit meiner Mutter darüber gesprochen, und sie redete mir zu und sagte, ich soll Ja sagen. Doch zu ihm habe ich lange gar nichts mehr gesagt, Ja nicht und Nein nicht.
Es kam etwas Seltsames über mich. Es überkam mich eine unendliche Lust, mich einfach zu fügen. Ich kann nicht beschreiben, welche Sehnsucht ich danach hatte, mich zu fügen und nicht immer Nein, sondern einmal Ja zu sagen. Ich wollte brav sein, ich wollte

folgen, ich wollte mich fügen. Es ist so schön, sich zu fügen.
Aber es war alles schwierig. Ich mußte zum Rat der Stadt und mußte eine Genehmigung holen. Mein Freund war ein Ausländer, und deshalb mußte man eine Genehmigung haben. Für die Genehmigung mußte man einen Antrag stellen und dann mehrere Monate warten, manchmal ein Jahr. Es war alles ganz absurd, wie ich immer wieder in dieses riesige rote Haus gehen mußte, das einmal das Armenasyl von Berlin gewesen sein soll, durch tausend Gänge und über tausend Treppen, und wie ich dann viele Stunden in einem Flur mit lauter gleichen Türen gewartet habe, um dann schließlich bei immergleichen Beamtinnen, von denen ich nie erfahren habe, ob es nun immer andere oder ob es immer dieselben waren, zu fragen, zu erklären, zu beantworten, zu beantragen und zu bitten, und immer hieß es Nein und Nein.
Trotzdem war es mir, als hieße es schon Ja und als sei schon alles vom ersten Moment an entschieden und ich hätte nur noch wenig Zeit und müßte schon bald meinen Koffer packen. Ich geriet in eine Panik, und als alles seinen Gang ging, da erschien es mir plötzlich, als ob ich es vielleicht gar nicht selber will, sondern als ob es nur alle anderen wollen.
Ich wollte es und wollte es nicht und war hingerissen nach der einen Seite und dann hergerissen nach der anderen. Einmal ganz euphorisch und glücklich, da glaubte ich, daß ich alles gewinnen würde, aber dann war ich wieder so voller Angst, daß ich alles verlieren

müßte. Alles war schwankend von Anfang an, und es wechselte so oft, daß es mir manchmal die Luft abgeschnitten hat. Ich hatte den Mann auf viele, verschiedene Weise wirklich lieb, aber doch war er mir oft fremd und fern, und manchmal wurde er mir auch plötzlich ganz gleichgültig, und manchmal erschien es mir sogar so, als ob er gar nicht mein Freund, sondern als ob er mein Feind wäre und als ob wir nicht miteinander leben, sondern gegeneinander kämpfen wollten.

Wegen all dieser wechselnden Gefühle fühlte ich mich schuldig, es war wie ein Schüttelfrost, heiß und kalt und alles zugleich. Und dabei dachte ich doch, wenn man sich liebt, dann würde man ganz ruhig, und man würde sich einander immer ganz nahe fühlen und nie mehr fremd und entfernt. Aber es war nicht so, und darüber wurde ich sehr traurig und mutlos sogar. Aber er hat das gar nicht verstanden, und ich konnte es ihm auch nicht erklären, obwohl ich es versucht habe, er wurde nur böse auf mich.

Und dann entstand etwas wie eine magische Tür zwischen uns, ich habe sie immer gesehen und ich habe nie mehr durch sie hindurch zu ihm gehen können. Ich habe mich immer überbeansprucht und unterfordert zugleich gefühlt, es war mir gleichzeitig alles zuviel und gleichzeitig alles zuwenig. Immer habe ich einen Anspruch, den der Mann an mich stellte, gefühlt, und das hat mich zum Wahnsinn gebracht.

Zuerst war es gut, aber dann wurde alles immer schlechter. Wir haben uns oft gestritten, und dann

haben wir uns wieder versöhnt, aber in Wirklichkeit gilt die Versöhnung nicht. Es bleibt doch nach jedem Streit etwas Häßliches, etwas Verletzendes und ein Riß, der nicht mehr zugeht. Und ich wurde von alldem so müde, so müde.
Und ich habe mich so nach einem Frieden gesehnt. Einem Frieden wie in unseren Ferien. Aber dieser Frieden war nicht bei uns, er war auf dem Hartstockschen Hof, er war bei unseren Nachbarn in dem Dorf, in dem ich mit dem Mann und meiner Freundin und deren Sohn die Ferien verbracht habe. Bei uns war alles schwierig und anstrengend und soviel Wirtschaft, und zwischen den Kindern soviel Geschrei und Gezank und soviel Unzufriedenheit bei uns allen. Auf dem Hartstockschen Hof aber ist alles ganz anders. Herr und Frau Hartstock sind Stiefgeschwister, sie sind schon von kleinauf zusammen aufgewachsen und haben später geheiratet und leben nun mit ihren drei Kindern und einigen Enkelkindern auf diesem Hof, der unserem am nächsten war. Jeder aus dieser Familie ist so warmherzig, so gütig, lustig und großzügig, sogar die Tiere. Ihr Hund kläfft nicht, wenn ein Fremder den Hof betritt, sondern er begrüßt ihn freundlich und legt sich vor ihm auf den Rücken und läßt sich streicheln. Einmal hat ihn ein dreijähriger Junge in die Schnauze gebissen, aber er ist freundlich geblieben, ein Hund freundlicher Herrn. Jeder Besuch ist auf dem Hartstockschen Hofe willkommen, sooft er kommt und wie lange er auch bleibt. Und wenn ich mit Johannes da war, durfte er sich alles ansehen, Hof und Ställe mit allen

Tieren und die Maschinen, und er konnte auf den Traktor klettern und auf alle Knöpfe drücken und am Lenkrad drehen, soviel er nur wollte. Herr Hartstock hat ihn manchmal auf den Schoß genommen, und sie sind beide mit dem Traktor herumgefahren.
Frau Hartstock hat uns oft zum Essen eingeladen, und wenn wir selbst gerade Besuch auf unserem Hof hatten, dann sollten alle anderen auch ihre Gäste sein. Am letzten Tag der Ferien hat sie für uns eine große Torte gebacken, und wir saßen alle zum Abschied zusammen auf ihrer Veranda, mit dem Blick auf den nahen See, und haben Frau Hartstocks Torte mit Schlagsahne gegessen. Da sagte Herr Hartstock: »Jetzt denkt man nicht daran, wie viele Menschen der See schon verschluckt hat. Die Bauern sind am Ende des Krieges hineingegangen und haben sich ertränkt. Sie hatten Angst vor der Rache ihrer polnischen Fremdarbeiter, die polnische Grenze war nah und der Krieg verloren. Wieviel Schuld müssen sie auf sich geladen haben, daß sie solche Angst hatten.« Und dann sagte Herr Hartstock noch: »Ich glaube, mit dem Frieden ist es so: Erst kommt Frieden zwischen Mann und Frau und Kindern, dann kommt Frieden mit den Nachbarn, und wenn es so ganz langsam immer weitergeht, dann gibt es vielleicht auch einmal einen Frieden unter allen Menschen.«
Da habe ich mich auch geschämt, denn ich wollte ja mit dem Mann in Frieden leben, aber ich konnte nicht. Ich wollte, aber ich konnte nicht. Es war wie in dem Traum, als ich mit Mauricio Pollini in einem großen Konzert auftreten und mit ihm vierhändig

spielen sollte, aber ich konnte ja nicht Klavier spielen, ich konnte nicht einmal Noten lesen. Doch Mauricio Pollini fing an, es mir zu erklären, und ich wollte es noch schnell lernen. Ich glaubte wirklich, ich könnte es während des Konzertes noch lernen, ich hoffte, ich könnte es schaffen, wenn ich mich anstrenge. Aber ich konnte es nicht mehr schaffen, obwohl ich es versuchte.

Das war doch kein Frieden, wenn der Mann sonntags kam und Johannes und ich gerade im Bett unser Schmusestündchen hielten, und er zog sich dann aus und legte sich zu uns und wollte, daß mein Sohn dann möglichst schnell verschwindet, damit er mit mir allein sein konnte. Und ich war feige und habe versucht, Johannes zu überreden, daß er in sein Kinderzimmer geht, aber Johannes wollte das natürlich überhaupt nicht, er wollte bei uns im Bett bleiben. Und so haben wir uns alle gestritten, Johannes fing an zu heulen und hat den Mann gehauen, und der wurde dann furchtbar böse und trug ihn weg in sein Zimmer und warf ihn auf sein Bett, und Johannes brüllte und der Mann schmiß die Tür vom Kinderzimmer zu, »zur Strafe«, und dann fing er an, Frühstück zu machen. Und ich lag im Bett, todunglücklich, und mußte alles wieder in Ordnung bringen, das weinende Kind trösten und den beleidigten Mann versöhnen, obwohl ich viel lieber selbst beleidigt gewesen wäre.

Dann wollte ich weglaufen und sowas nicht mehr erleben. Manchmal dachte ich, das Verheiratetsein ist vielleicht nichts anderes als eine neue Art von

Einsamkeit, eine, die ich noch nicht kenne, denn andere kannte ich schon und war an sie gewöhnt und fühlte mich in ihnen zu Hause, und vielleicht sollte ich diese letzte Behaglichkeit auch noch abwerfen. Aber nein, ich dachte, so ein Doppelleben kann es doch nicht sein.

Es ist mir schließlich meine ganze Liebe verlorengegangen, und es blieb das Gefühl übrig, ich habe die Wahl zwischen zwei Dingen, die ich beide nicht will. Heiraten wollte ich nicht mehr, und alleine leben wollte ich auch nicht mehr, und hierbleiben nicht und wegziehen auch nicht. Lange Zeit war ich ganz starr vor Schreck und habe nur stillgehalten und habe gedacht, wenn ich mich nicht rühre, dann wird vielleicht alles von selbst gehen. Aber das Stillhalten hat mir auch bald Angst gemacht, und dann wollte ich es entscheiden, und so wie ich am Anfang den großen Wunsch hatte, mich zu fügen, wollte ich mich nun überhaupt nicht mehr fügen und wollte Nein sagen und mich nicht mehr versöhnen und nicht mehr vertragen. Ich wollte endgültig Nein sagen, ich wollte sagen: Nein, ich will dich nicht mehr haben, und ich will dich nicht heiraten, denn ich finde dich unterdessen furchtbar, ich finde dich und uns beide und das alles zusammen einfach lächerlich. Ich habe dich nicht mehr lieb, ich kann dich nicht einmal mehr gut leiden.

Warum bin ich nur plötzlich so böse geworden? Zuerst, als alles anfing, wollte ich so gerne fügsam sein, aber dann, am Schluß, wollte ich böse sein.

Als es anfing, war es Oktober und Johannes war gerade drei Jahre alt geworden. Und nun war es wieder Oktober, und wir hatten Johannes vierten Geburtstag gefeiert. An irgendeinem Tag dann habe ich eine Postkarte genommen und habe darauf geschrieben: »Ich möchte Dich nicht mehr sehen.« Die habe ich dem Mann geschickt.

Und dann mußte ich zu allen hingehen, sogar nochmal zum Rat der Stadt, und mußte meine Entscheidung bekanntgeben und es allen sagen und allen erklären. Danach war ich sehr erschöpft und bin wieder krank geworden und habe drei Wochen im Bett gelegen. So ist es gewesen. Und ich weiß heute noch nicht, ob es nun Mut oder Feigheit gewesen ist, alles wieder abzusagen. Und als ich dann im Bett lag, da fühlte ich mich so schwach wie ein krankes Kind, und ich wünschte mir so, daß meine Mutter hereinkäme und mich fragte, ob sie mir etwas mitbringen soll, wenn sie einkaufen geht, und daß sie mir abends sagte, daß ich morgen noch nicht zur Schule gehen muß und daß ich noch ein paar Tage zu Hause bleiben kann. So ist das alles gewesen.
Aber natürlich, das Schwanken ist in Wirklichkeit ein viel größeres Schwanken, es ist ein Schwanken zwischen immer zu Hause bleiben und im Bett bleiben oder aufstehen und von zu Hause losgehen und eine große Reise machen und nie mehr wiederkommen und in einem anderen Land bleiben und eine andere Sprache sprechen und seine Muttersprache nur noch heimlich mit sich herumtragen und nicht so ausgeben jeden Tag wie Allerweltsware.

Ich kann es gar nicht sagen, wie sehr ich mich nach fremden Städten und fremden Ländern sehne. Ich kann Dir nicht sagen, wie. Manchmal, wenn ich krank im Bett liege, dann ist es, glaube ich, oft nur von dem Schmerz, daß ich davon so abgeschnitten bin.
Dann liege ich in meinem Bett und sehne mich nach weiten, sonnigen Landschaften mit sanften Hügeln und Weingärten und alten Bäumen und alten Städten mit Brücken und Treppen und Plätzen und Fenstern, die nach außen geöffnet werden, und reichen Palästen und üppigen Villen in raffinierten Parks, und nach fremden freundlichen Menschen, nach fremden Gerüchen, nach fremdem Geschmack. Ich sehne mich nach Rembrandts Amsterdam und nach Prousts Paris, ich sehne mich nach Frankreich, ich sehne mich nach Italien, in die Toscana und nach Umbrien, nach Rom, Florenz, Venedig, und ich sehne mich nach Griechenland, nach Athen und allen Inseln und an die Gestade des Mittelmeers. Ich sehne mich nach Jerusalem.
Weißt Du, Josef, neulich hatte ich einen Traum, da war ich in einem südlichen Land, es war schon abends, und der Abend war ganz blau und mild und warm, und ich hatte nur ein dünnes Sommerkleid an und fror aber gar nicht, wie sonst immer. Ich saß da in einem Gartenrestaurant, und gelbe und goldene Lampions schaukelten und gaben ein kleines friedliches Licht. Ich saß dort mit einer alten Frau, einer zierlichen, leichten alten Frau, die nahm mich dann an der Hand und führte mich zu einer breiten, eleganten Steintreppe, und da standen wir und sahen

die Treppe hinab. Unten am Ende führte sie ganz bis ans Meer heran, das lag ruhig und schwarz da. Und dann faßte mich die alte Frau an und lief mit mir zusammen die Treppe hinunter. Es waren so viele Stufen und immer mehr und immer mehr, als ob sie nie ein Ende haben würden, wir liefen und liefen, die alte Frau und ich, hinunter und hinunter. Wie die Himmelsleiter umgekehrt.

Lieber Josef!
Manchmal denke ich, daß Du denkst, daß ich gar nicht mehr an Dich denke. Aber das ist nicht so.
Weißt Du noch, in Moskau, wie der Schnee so hoch war, und wir waren jeden Abend im Theater und sind danach in jeder Nacht noch lange durch den Schnee gelaufen. Die ganze Stadt war so hell von dem Schnee, und wir sind gar nicht die Straßen entlang, sondern immer quer durch die Höfe gelaufen, es war ja alles weiß, und es gab keine Wege und keine Straßen mehr. Und wir haben soviel übers Theater geredet, jeden Tag, jeden Abend, nie über etwas anderes, immer nur übers Theater. Aber jetzt, nach so langer Zeit, kommt es mir vor, als hätten wir alles andere auch besprochen.
Und einmal sind wir in so eine Kaschemme geraten, das war ein altes Hotel und sollte was Vornehmes sein und hatte noch Plüsch und alte Pracht, sonst aber war es heruntergekommen zu einem billigen Lokal. Eine Musikkapelle aber fehlte nicht, die machte einen mörderischen Krach, und es war eng und man konnte vor Zigarettenqualm kaum atmen. Auf den

Tischen türmten sich Berge von Essen und Geschirr, die anscheinend nie abgetragen wurden, und zwischen den Tischen tanzten sie in den schmalen Gängen. Und wir waren da mittenrein geraten und sind ewig sitzengeblieben und wollten nicht mehr von dort weg, und da war es doch schön.
Lieber Josef! Eigentlich wollte ich Dir in dem langen Brief nur die eine Sache erzählen: Jeden Tag verliere ich meinen ganzen Mut, und jeden Tag finde ich ihn irgendwie immer wieder.
Siehst Du mich, Josef, ich winke Dir zu!

Eine Postkarte für Herrn Altenkirch

Als ich nach Brandenburg kam als Dramaturg ans Theater, fragte man mich am ersten Tag, ob ich ein Leerzimmer oder ein möbliertes Zimmer haben wollte. Ich fand den Gedanken, zwischen fremden häßlichen Möbeln zu wohnen, unerträglich und wollte ein Leerzimmer.

Das Leerzimmer war leer und kalt. Es lag zu ebener Erde und hatte, obwohl es unwahrscheinlich klingt, drei Außenwände. Bald wurde es Winter, und der Ofen war kaputt, und in den Nächten habe ich erbärmlich gefroren, und das ist noch kein Wort dafür: erbärmlich. Ich hatte auch keine Kohlen, aus tausenderlei Gründen hatte ich keine Kohlen und konnte auch keine bekommen. So habe ich mit Pappe und Papier geheizt und alles in den Ofen geworfen, was nur irgend brannte, aber es half gar nichts und wärmte nicht. In einer solchen Nacht, der schlimmsten von allen, in der ich wohl fast erfroren wäre, habe ich auch alle Briefe verbrannt, die ich da hatte, und vieles andere, an dem mein Herz hing, das mußte sein, wenn es nur brannte. Aber der Ofen blieb trotzdem kalt, kalt und sogar noch kälter als kalt, denn die Ofenkacheln, wenn sie nicht warm sind, geben eine Eiseskälte ab. Manchmal schlief ich kurz ein, in allen meinen Kleidern, die ich übereinander angezogen hatte, so daß ich mich gar nicht mehr bewegen konnte, und in diesem starren Halbschlaf glaubte ich, auf der vereisten Straße zu liegen, nur mit einer Zeitung zugedeckt, und ich versuchte im-

mer mehr, mich in mich hineinzuziehen, es half aber alles, alles nichts und nichts.
Nach dieser Nacht sagte ich im Betriebsbüro des Theaters Bescheid, daß ich doch lieber ein möbliertes Zimmer haben wollte. Ein Zimmer, das zu einer Wohnung gehört, die Wohnung gehört einer Familie, und wer immer diese Menschen sein werden, ich werde ihnen dankbar sein, wenn ich die Wärme ihrer Wohnung mit ihnen teilen kann.
Ich zog zu Herrn Altenkirch in die Hauptstraße 7. Er wohnte im Hinterhof, das Haus war nur klein, und die Wohnung war warm. Herr Altenkirch heizte jeden Morgen die Öfen der drei Zimmer: seine »Stube«, sein Schlafzimmer und das Zimmer, das er vermietete.
Herr Altenkirch war alt und sehr dünn, und wenn er ausging, setzte er den Hut auf, wie die Männer seiner Generation es zu tun pflegen. Ich glaube, er lebte schon sehr lange allein dort, ich habe nie erlebt, daß er Besuch bekam, und ein Telefon hatte er auch nicht. Er sagte bei unserem ersten Gespräch zu mir: »Morgens, nach dem Aufstehen, wollen wir immer zusammen frühstücken und uns unterhalten. Da habe ich ein bißchen Gesellschaft.«
So taten wir es auch. Beim Frühstück, das er immer schon vorbereitet hatte, wenn ich aus meinem Zimmer kam, unterhielten wir uns, und da zeigte er mir auch sein Fotoalbum, in das er neben Familienbildern auch Bilder von Künstlern des Theaters eingeklebt hatte. Zwei von ihnen hatten vor mir bei ihm zur Untermiete gewohnt, eine Schauspielerin und ein

Musiker. Der Musiker war lange sein Untermieter gewesen, und später, als er schon nicht mehr in Brandenburg war, hat er von Reisen Ansichtskarten geschickt, die Herr Altenkirch alle aufgehoben und auch in das Album eingeklebt hatte. Und als wir sie uns ansahen, dachte ich: Später werde ich auch solche Ansichtskarten an Herrn Altenkirch schreiben, ich werde ihm damit eine Freude machen, denn er ist doch einsam.

Einmal, als ich vom Theater nach Hause kam, merkte ich, daß Herr Altenkirch in der Zwischenzeit meine Schuhe geputzt hatte. Ich sagte ihm, daß er das um Gottes willen nicht tun soll, ich könne doch meine Schuhe sehr gut selber putzen. Aber er bat mich, ihn zu lassen, es macht ihm Spaß, er hat doch nichts zu tun den ganzen Tag, und er kann auch nicht so lange schlafen und ist jeden Morgen schon ganz früh wach, schließlich komme ich doch immer erst spät in der Nacht von den Proben nach Hause. Da soll ich ihm ruhig meine Schuhe einfach draußen stehenlassen, er putzt sie dann gleich morgens vor dem Frühstück und ich kann sie schon anziehen, wenn ich wieder ins Theater gehe. Es war mir so unangenehm, mir von ihm, einem alten Mann, die Schuhe putzen zu lassen, er wollte es aber unbedingt, und so ließ ich es geschehen, da es ihm Freude machte und er so stolz war auf die glänzenden Schuhe. Nie wieder in meinem Leben habe ich glänzende Schuhe gehabt.

Manchmal, wenn ich nachmittags zwischen den Proben nach Hause kam, saß Herr Altenkirch in seiner »Stube« im Sessel und guckte aus dem Fenster, die

Tür zum Flur ließ er immer auf, so daß er mich gleich sah, wenn ich die Wohnungstür aufschloß, und er bat mich dann hereinzukommen, und ich erzählte vom Theater, und wir blätterten zusammen in alten Illustrierten, die da wohl schon sehr lange rumlagen. Manchmal hatte er auch ein Paket aus dem Westen gekriegt, und das packte er dann mit mir zusammen aus und gab mir von den Schokoladenriegeln ab und kochte noch extra einen Nachmittagskaffee.
Aber ich war nur ein kurzes Jahr in Brandenburg, schon vor dem Ende der Spielzeit ging ich vom Theater dort wieder weg. Es hatte viel Krach gegeben, einen Prozeß sogar. Wir waren eine Gruppe, Schauspieler, Regisseur und Dramaturg, die alles anders wollte, und der Anführer der Gruppe war nun verurteilt worden zu gehen. Da gingen wir alle mit, aus Solidarität. Nachher allerdings stand jeder für sich allein da, hatte nichts, fand nichts und mußte schließlich irgendein Engagement annehmen, das sich bot, wo es auch sei und was es auch sei. Der Anführer der Gruppe zog sich ganz zurück und lebt, soviel ich weiß, heute als Holzfäller im Walde.
Ich zog also wieder weg von Herrn Altenkirch. Ich packte meine Sachen, die ich in seiner Wohnung ausgebreitet hatte, wieder ein, nahm meine Kunstpostkarten von der Wand und verabschiedete mich von ihm. Er nahm seinen Hut und brachte mich noch bis zur Ecke, hinter der die Straße zum Bahnhof führt. An der Ecke blieb er stehen, und ich ging weiter. Ich drehte mich oft um, der kleine Herr Altenkirch winkte mit dem Hut, bis ich endgültig in

den Bahnhof hineinging. Und da dachte ich wieder: Ich werde ihm ab und zu eine Postkarte schicken, wenn ich irgendwo unterwegs bin, eine Ansichtskarte, einfach einen Gruß:

An
Herrn Altenkirch
18 Brandenburg/Havel
Hauptstr. 7

Lieber Herr Altenkirch!
Ganz herzliche Grüße aus . . .
sendet Ihnen
Ihre

Inzwischen sind so viele Jahre vergangen. Herr Altenkirch wird jetzt bestimmt schon tot sein, und ich habe diese Postkarte nie geschrieben, ich weiß nicht warum. Einfach weil . . . weil . . . und weil . . .
Aber ich muß mir jetzt immer vorstellen, wie Herr Altenkirch zu der Stunde, wenn der Briefträger kam, hinunterging und in seinen Kasten schaute, in dem so selten etwas lag, und wie er hoffte, einmal vielleicht von mir eine Ansichtskarte darin zu finden, aber sie nie fand, und wie dann sicher mit der Zeit die Hoffnung langsam schwand, aber die Enttäuschung sicher blieb.
Und jetzt tut es mir weh.
Bitte verzeihen Sie mir, Herr Altenkirch.

Wanderung

Wir sind lange mit dem Zug gefahren, den ganzen Tag und die ganze Nacht. Wir mußten stehen, manchmal haben wir uns auf unsere Rucksäcke gesetzt, aber keiner konnte schlafen, und wir waren todmüde, als wir morgens ankamen. Wir liefen zum Fluß und wuschen uns, man konnte in diesem kleinen Flüßchen kaum stehen, so stark war die Strömung, und dann legten wir endlich unseren Kopf auf die Rucksäcke und schliefen ein. Mitten zwischen den Familien auf Decken und Campingstühlen, Picknicktaschen und laufenden Kofferradios schliefen wir. Es war ein Badestrand, den wir gefunden hatten, trotz der Strömung. Als wir aufwachten, war aber alles wieder still und leer, und es dämmerte schon, die Familien waren längst wieder nach Hause gezogen. Wir waren erschrocken, wir hatten den ersten Tag unserer Wanderung verschlafen. Aber doch war es uns, als seien wir schon wochenlang von zu Hause fort, so im Gras unter den Bäumen an dem reißenden Fluß. Und wir waren so begierig, noch weiter von zu Hause wegzukommen, daß wir uns in den erstbesten Zug gesetzt haben und bis zur Endstation ins allerletzte Dorf gefahren sind. Da war immer noch derselbe Fluß, die Häuser des Dörfchens standen direkt an seinem Ufer, und es war noch immer nicht ganz dunkel. Die Männer des Dorfes saßen vor ihren Häusern, die Fenster der Häuser weit geöffnet, und die Frauen drinnen fingen an, Licht anzuzünden. Wir gingen durchs Dorf und sprachen mit manchen ein paar Worte. Wir versuchten es auf russisch, und die Männer antworteten slowakisch, und obwohl wir eigentlich sowieso nichts verstanden, fürchteten wir doch ein längeres Gespräch, bei dem herauskommen würde, daß wir gar kein Ziel hatten und keine Unterkunft für die Nacht, obwohl es schon so spät war. Da sahen wir hinter dem Dorf, über dem Fluß, einen Berg und darauf eine Burg, eine Ruine mit leeren Fenstern, durch die Krähen flogen, wie auf einem Bild von Caspar David Friedrich. Dorthin wollten wir nun, das wäre ein schöner Platz für die erste Nacht draußen. Von oben, von der Ruine auf dem Berg, sah man am Fuße der Burg zwei Seen, der eine war grün und der andere war weiß; sie konnten wohl früher miteinander verbunden werden, so daß die Burg ganz von einem Wassergraben umgeben war. Ob da die Seen auch schon grün und weiß gewesen wären und wie das wohl ausgesehen haben mag, wenn sie ineinanderliefen? Wir sammelten Holz und zündeten unser erstes Feuer an, holten Wasser und den Kochtopf und tranken unseren ersten Tee unterwegs und lobten Kochtopf und Tee und den, der beides getragen hatte. Dann schliefen wir eng beieinander und eng an der Burgmauer, die uns wärmte.

Ein zweiter Tag. Einer von so vielen zweiten Tagen in vielen Jahren vieler Wanderungen. Es war immer in demselben Monat, immer in demselben Land, immer mit denselben Freunden. Es war immer heiß, wir wollten immer lange schlafen, und nach dem Aufstehen schleppte sich immer ein müder Haufen nur mühsam bis ins nächste Dorf, und dort wurde Frühstück eingekauft und lange ein schöner Platz für das Frühstück gesucht und dann lange gegessen, in einem verlassenen Garten eines verlassenen Hofes oder unter Obstbäumen an einem Flüßchen oder auf einer Wiese, die noch taufeucht war. Und dann lange, lange Gespräche und Diskussionen und Streit. Immer Streit, immer über dasselbe: über Hitler über Stalin über die Deutschen über die Russen über die Juden über den Krieg über den Osten über den Westen und über unsere Eltern, vor allem über unsere Eltern. Manchmal über Dichter und über Bücher. Wir diskutierten, stritten, zankten und schrien uns an, bis es wirklich nicht mehr schön war, und es kam vor, daß wir mit den Taschenmessern nacheinander warfen. Endlich erhoben wir uns und machten uns auf den Weg, da war es bereits gegen Mittag und die Sonne brannte schon sehr heiß, und der Rucksack wurde sehr schnell schwer auf dem Rücken. Wir legten uns Taschentücher und Handtücher auf den Kopf und sahen von vorne wie Beduinen und von hinten wie Packesel aus. Und weil wir soviel gestritten hatten, hatten wir nur noch flüchtig auf die Karte gesehen, und da waren wir dann plötzlich mitten auf halber Höhe eines mächtigen Berges und es blieb kein anderer Weg als über ihn herüber, zurück ging es nicht mehr. Wir liefen auf allen vieren, so steil war es, Steine schlugen beim Klettern hinter uns herunter, es wurde heißer und heißer und steiler und steiler, wir wußten gar nicht mehr, wo wir waren, und fanden uns auf keiner Karte mehr zurecht und fanden auch gar keinen Platz mehr, sie auszubreiten. Jeder hatte Mühe, sich festzuklammern und noch einen Halt zu finden, und es fing an, vor den Augen zu flimmern, und es wurde einem schwindlig, und die Knie zitterten. So kletterten wir stundenlang, der Berg nahm kein Ende, nicht bildlich gesprochen, sondern wörtlich, er wuchs und wuchs, und wir liefen in einem tierischen Naturbewußtsein, in völliger Gleichgültigkeit der Landschaft gegenüber, und kein Mensch dachte mehr an Caspar David Friedrich. Wir bekämpften den Berg und weiter gar nichts. Wir wollten auch keine Pause mehr machen, wollten uns nicht mehr umsehen, redeten kein Wort mehr miteinander und trafen keinen Menschen mehr, und sogar die Bäume wurden immer weniger und die wenigen immer kümmerlicher. Nach Stunden kamen wir irgendwo an, wo es wie »oben« war, eine kahle flache Fläche, es ging nicht mehr höher. Wir warfen uns lang auf die Erde hin und blieben liegen. Nach einer langen Weile erst sahen wir uns um, und siehe, da waren wir auf dem Kamm des Gebirges, um uns Moos, flache Büsche, niedrige Gewächse und eine seltsam harte Erde. Und Nebel, oder vielleicht waren es schon die Wolken. Wir sahen auf die Berge hinab, die noch Wald hatten, die waren unter uns. Ein Gefühl für die Landschaft stellte sich wieder ein, und das Flimmern vor den Augen ließ nach, da oben auf dem rauhen Berggipfel, auf dem wir angelangt waren, und dabei hatten wir durch sanfte Täler und Dörfer wandern wollen. Wir packten unsere Notkekse aus, es war ja schon spät am Tag und wir hatten uns nur angestrengt und nichts gegessen, nichts getrunken. Gottseidank waren unsere Wasserflaschen gefüllt, und die Notkekse hatten sogar eine Schokoladenfüllung. Da ging es uns schon wieder besser. Aber dann fing es wieder an, über unsere Eltern: »Die Kommunisten waren doch genauso blind wie die, die hinter Hitler hergelaufen sind.« – »Entschuldige mal bitte, sie haben immerhin ihr Leben riskiert, sie mußten fliehen, sind ins KZ gegangen.« – »Na und, sie waren blind, feige, anpasserisch und haben sich schuldig gemacht, ja schuldig.« – »Du mußt ja wohl verrückt sein.« Wir schrien schon wieder, warum haben wir bloß immer so viel geschrien? Wir haben nicht mal gehört, wie es angefangen hat zu donnern, nicht mal gesehen, wie es immer dunkler wurde, und dann klatschte schon der erste Regen, und unsere Notkekse waren gleich vollkommen zermanscht, weil wir sie liegengelassen hatten, statt sie zu essen, als wir aufgesprungen waren, um uns über die Schuld unserer Eltern zu streiten. Es regnete, es blitzte, es donnerte, und wir waren ein einsames Ziel für den Blitz. Wir packten schnell, schnell alles ein und rasten los – aber wohin? So weit man sehen konnte, war nur diese weite Fläche, die bis gottweißwohin führte. Da entdeckten wir eine kleine Quelle, und wir dachten, wir wollen ihr folgen, aus der kleinen Quelle wird doch ein Bach werden und der Bach wird in ein Dorf führen, und so war es auch. Wir liefen hinter dem Bach her, und dabei hatten wir furchtbare Angst vor den Blitzen und vor dem Donner, wir rannten, was wir nur konnten mit unseren schweren Rucksäkken, so daß sie uns auf die Rücken schlugen, die Schuhe voller Wasser, daß es klitschte und klatschte bei jedem Schritt, das Gesicht naß wie unter Wasser. Aber der Bach hat uns gerettet, es war die Quelle der Elbe. Als wir endlich wieder unten im Tal waren, sahen wir uns noch einmal um, und wie da der Berg so ruhig stand, sagten wir zueinander: Sieh mal, wie anders das Gebirge aussieht, wenn man hinauskommt, als wenn man hineinläuft.

In der kleinen Stadt, die wir Käsemark nannten, konnten wir keine Bleibe für die Nacht finden. Die Stadt war klein, aber sie war doch zu groß, um wieder ganz herauszulaufen und eine Scheune vor dem Ort zu suchen, und es war viel zu naß, um sich einfach irgendwo ins Gras zu legen. Die kleine Stadt hatte flache Häuser, die weit auseinanderstanden, an Straßen, die uns eigentlich zu breit für einen so kleinen Ort erschienen, mit niedrigen Bäumen vor den flachen Häusern. In Käsemark verkauften sie Ansichtskarten, die aus dem Anfang des Jahrhunderts stammten, und das sollte keine Touristenattraktion sein, denn es gab gar keine Touristen, sie hatten einfach keine anderen Karten, und die Stadt hatte sich ja auch nicht verändert seitdem; nur die Autos, die da auf den Ansichtskarten auf den seltsam breiten Straßen fuhren, heißen heute Oldtimer. Wir guckten uns um, ob es ein Hotel gäbe, es gab aber keins. So saßen wir im HOSTINEC, was soviel wie Kneipe heißt, eine Stunde in dem einen und die nächste Stunde in dem anderen, und dehnten den Abend, als ob wir vielleicht die Nacht damit überziehen könnten. Aber dann schloß das eine HOSTINEC und danach das andere. Sie nannten uns noch ein drittes, welches die ganze Nacht offen hätte, und da gingen wir hin. Das war so etwas, da sagten wir zueinander: Spelunke. Finster, laut, voller Rauch und betrunkener Männer, schwarze Löcher statt Türen, und hinter den schwarzen Löchern konnte man nur das Schlimmste vermuten. Was sollten wir hier nur machen? Wir entdeckten ein kleines Treppchen, das stiegen wir hoch in den ersten Stock. Gleich neben der Treppe war eine offene Tür, die in ein Zimmer führte, darin saß eine alte dicke Frau, direkt über dem Lärm saß sie und hatte ein Kissen auf dem Schoß, das bestickte sie mit Blumen. Gleich mit dem »Guten Abend« (wir sagten DOBRY WEČR) überreichten wir ihr eine Dose Nescafé und ein Paar Strumpfhosen, beides in unberührtem Zustand, die nahm sie und begriff sogleich, was wir brauchten. Wir zeigten unsere Schlafsäcke und wollten damit ausdrücken, daß wir ja keine Betten brauchten, nur einen Fußboden, auf dem wir unsere Schlafsäcke ausbreiten könnten. Sie bedeutete uns, daß wir ihr folgen sollten, durch einen dunklen Gang mit funzligem Licht und mehrmals um die Ecke und noch einige Stufen hoch, da schloß sie uns einen Raum auf. Dort, gestikulierte sie, könnten wir über Nacht bleiben. Sie sagte KULTURNY SAL, es war also der Kultursaal der Spelunke. Darin in Form eines U zusammengestellte Tische, mit rotem Fahnentuch bedeckt, in der Öffnung des U stand ein Hocker, auf dem Hocker stand ein Fernsehapparat, und unter dem Hocker lag ein Kackhaufen. An der gegenüberliegenden Wand über dem Bogen des U hing das Bild von Gustav Husak. Wir breiteten unsere Schlafsäcke unter die Tische und lagen dann der Form des Tisches folgend in einem großen U, einer hinter dem anderen, mit Blick auf den Kackhaufen. Den fanden wir aber doch zu ekelhaft, so drehten wir uns in die umgekehrte Richtung und lagen lieber mit Blick auf Gustav Husak. Das rote Fahnentuch über den Tischen zogen wir, soweit es nur ging, herunter, um das grelle Licht der Glühbirne zu mildern, das die Frau angedreht hatte und das nicht mehr auszukriegen war, obwohl wir alles versuchten und sogar eine Pyramide von Stühlen auf den Tisch getürmt hatten, um die Birne herauszuschrauben, es war aber vergebens. So lagen wir im hellen Licht und Lärm des Hauses von Menschen und Musik, von Rufen und Türklappern, und obwohl wir die Tür verbarrikadiert hatten gegen die wilden Männer da unten, standen uns doch die Haare zu Berge, und wir klammerten unseren Blick an Gustav Husak in seinem ordentlichen Anzug mit der ordentlichen Krawatte. Wir schliefen erst ein, als es unten still wurde, gegen Morgen, und als wir wieder aufwachten, spät am Vormittag, war alles vorüber in der Spelunke, kein Lärm und keine Stimmen mehr. Wir verließen ein leeres, stummes Haus, und auch das Zimmer, in dem die alte Frau gesessen und ihr Kissen mit Blumen bestickt hatte, war verschlossen.

Bevor wir in Berlin aufgebrochen waren, war ich gerade aus Weimar zurückgekommen, wo ich mei-

nen Sohn untergebracht hatte für die Zeit, in der ich unterwegs sein wollte. Ich war in einem überfüllten Zug zurückgefahren, in dem kein einziger junger Mann vor einer alten Frau aufstand, in dem nicht einer einem Kind Platz machte (es hätte schon geholfen, etwas zusammenzurücken), in dem kein Mensch ein Fenster öffnete, obwohl die Luft zum Ersticken war, in dem ich, als ich mich einmal ganz vorsichtig ein wenig auf die Lehne einer Bank setzte, sofort runtergeschmissen wurde, und in dem es trotz der großen Hitze nichts zu trinken gab als Bier, Bier und Bier. Die Kinder saßen zerdrückt und verschwitzt und durstig, während sich Horden von Soldaten breit machten, grölten und ihr verdammtes Bier tranken. Ich stand im Gang zwischen den Sitzen und hielt mich an meinem Buch fest. Außer mir gab es noch zwei andere im Waggon, die lasen, und wir Lesenden sahen uns manchmal kurz in einer Art Einverständnis an und strengten uns sogar an, einander zuzulächeln.
In der Stadt Halle stiegen viele aus, da konnte ich mich endlich setzen. Aber es stiegen auch viele wieder ein, und als neben mir eine alte Frau stand, bot ich ihr meinen Platz an. Die alte Frau war ganz aufgeregt vor Freude, und ich kam mir wirklich wie ein Held vor, als sie sich hingesetzt hatte. Und dann holte sie aus ihrer Tasche viele Tüten und aus den Tüten Kekse, Bonbons und Schokolade und ein kleines Fläschchen Schnaps, das streckte sie mir alles entgegen und sagte: »Nehmen Sie, junge Frau, nehmen Sie!«, und lächelte und lächelte, daß ihr der Schweiß auf die Stirne trat. Und ich aß ihre Kekse,

lutschte die Bonbons und die Schokolade und trank sogar das kleine Fläschchen Schnaps vor ihren Augen aus und lächelte zurück, was ich nur konnte, und ich schämte mich so für ihre Dankbarkeit, daß ein furchtbarer Haß in mir aufstieg gegen alle, die da so unbeweglich und unbewegt auf ihren dicken Hintern saßen, mit ihren breiten Mäulern, aus denen ewig nur Sächsisch rauskam, in ihren Plasteanzügen und Plastehemden und Plasteblusen, ihre Kinder neben sich abgestellt wie ihre Koffer. Ich dachte daran, daß ich einmal gelesen hatte, die härteste Strafe, die der russische Zar zu vergeben wußte, die schwerste Verbannung war: Er ließ die Gefangenen einzeln bei wilden sibirischen Stämmen aussetzen, und dort starben sie ganz von selbst an der Unmöglichkeit, sich auch nur mit einem einzigen Menschen zu verstehen und zu verständigen, also an Einsamkeit und Verzweiflung.
Wie kommt man denn von denen weg? Wie kann man vor diesen Horden fliehen? Und nein, nicht immer nur fliehen. Nicht Flucht, sondern Rache.
RACHE!
Die haben mich alle so angesehen im Zug, auch die alte Frau und sogar die beiden Lesenden und die verschwitzten Kinder. Ich habe dann meinen Kopf ganz tief in die »Bunten Steine« von Stifter gesteckt.

Wir fingen an, von den Partisanen zu sprechen.
Wir hatten uns verlaufen, dann trafen wir auf einen Traktor, hinter dem liefen wir her, bis er über die Felder abbog. Weil kein Weg mehr da war, gingen

wir in den Fluß hinein. Wir gingen in dem Fluß wie auf einem Weg und sagten: wie die Partisanen. Wir waren im Janošiktal, dem Tal des Partisanenaufstandes von 1944. Janošik war hundert Jahre zuvor ein Held der Freiheit gewesen, ein Bruder des Robin Hood in den Wäldern.
Am Rande des Flüßchens fanden wir Himbeeren und Walderdbeeren, die pflückten wir und aßen die seltenen Früchte, mit den Füßen im Wasser stehend, die Schuhe an den Rucksack gehängt, dann badeten wir und sonnten uns und waren faul, bis wir wieder auf die Partisanen zu sprechen kamen. Da zogen wir weiter. Durch die Bäume sah man auf die schrägen, hügeligen Felder, wo Frauen arbeiteten, die wendeten Stroh und sangen laut dabei, eine sang vor und die anderen fielen ein. Es war eigentlich gar nicht wie Singen, es war wie Rufen und Antworten, und wir riefen sie auch, aber da lachten die Frauen bloß.
Als wir weiterzogen, sagten wir immer wieder: »Hier sind sie auch gegangen«, denn wir kamen schon in die Dörfer des Janošiktales. Wir suchten die Erinnerung an die Partisanen und fanden Tafeln und Denkmäler, auf denen ihre Namen aufgezeichnet und ihre Kämpfe beschrieben waren. Jetzt aber standen diese Dörfer ganz ruhig und friedlich da, als ob nie etwas gewesen sei, die Häuser aus dicken dunklen Balken, wie auf den Bildern von Chagall, und mit einem Brunnen auf dem kleinen freien Platz in der Mitte.
Als dann die Hitze und die Mückenplage immer unerträglicher wurden, zogen wir in die Hauptstadt des Janošiktales ein. Von einer Stadt kann keine

Rede sein, es ist ein großes Dorf und weiter nichts, seinen Namen habe ich schon vergessen, aber hier war tatsächlich der Aufstand ausgebrochen. Wir zogen also trotz Hitze und trotz Mückenplage und obwohl wir darüber stritten, ob die Russen die slowakischen Partisanen unter Druck gesetzt und schließlich fallengelassen haben oder nicht, trotz alledem zogen wir mit einem gewissen Hochgefühl in diese »Stadt« ein und guckten bewundernd in jedes Fenster. Da sahen wir Familien beim Abendbrot sitzen und meist daneben noch einen Fernseher laufen. Später setzten wir uns in das einzige HOSTINEC der kleinen Hauptstadt und aßen Fisch mit Rührei und Gurkensalat und danach ZMRZLINA, was soviel wie Eis heißt, und wir waren sehr glücklich und liebten alle die Männer, die da standen und ihr schwarzes Bier tranken oder Billard spielten, wie sie es dort überall tun, wir liebten sie, weil sie so tapfer gewesen oder doch wenigstens die Söhne von Tapferen waren. Spät in der Nacht stiegen wir in die Berge über der Partisanenstadt und fanden eine Felsenhöhle. In die legten wir uns und sagten wieder: wie die Partisanen. Und am nächsten Morgen, nachdem uns der Dorflautsprecher mit dem Schlager »O, Baby blue« geweckt hatte, suchten wir in der Höhle noch nach Zeichen und Spuren der Partisanen. Aber wir fanden in den Stein gehauen nur die Mitteilung, daß Slawomir Hanka liebt.

HOMOLE ist ein winziger Ort an der ehemaligen k.u.k. Schmugglergrenze. Wir waren nach einer endlosen

Wanderung dorthin gelangt, bei der wir schon gefürchtet hatten, nie wieder einen Weg und nie wieder einen Ort zu finden. In verwilderten Wäldern hatten Wege nur immer angefangen und verloren sich dann im Gestrüpp, ab und zu standen einzelne Telegrafenmaste da, die ihre Drähte zu Boden schleifen ließen, und der Wald war voller fremder, unheimlicher Geräusche. Wir hatten furchtbare Angst vor giftigen Schlangen, die es hier unbedingt geben mußte.

Einer von uns meinte zu wissen, daß man Schlangen, und besonders die gefährlichen Kreuzottern, durch Händeklatschen verjagen könne. So zogen wir klatschend unseren Weg und waren wirklich erleichtert, als wir unter uns das kleine Dörfchen sahen, und das war schön, aus dem Wald herauszulaufen, quer über einen sanften Wiesenhang in das Dorf hinein. Wir schnallten unsere Rucksäcke ab und ließen sie vor uns den Berg hinunterrollen. Und so kamen wir nach HOMOLE.

Wir fanden ein kühles HOSTINEC. Es war voll von alten Männern, aber es gab nichts zu essen. Und weil wir sehr hungrig waren, schickte der Wirt jemanden zum Bauern und ließ Eier holen, die briet er uns zu großen Omeletts. Das machte Aufsehen, und die alten Männer drehten sich zu uns, setzten sich näher heran, fragten, wo wir herkämen, und wollten mit uns sprechen, aber wir konnten einander ja nicht verstehen. Sie bestellten für uns, aber nur für die Männer, Bier und Schnaps, und als der Wirt die großen Halblitergläser verteilte, nickten sie mit dem Kopf aufmunternd und lachten und hoben ihre eigenen Gläser hoch, um mit den Wanderern anzustoßen, und dann tranken alle gleichzeitig. Da wir nicht mit ihnen sprechen konnten, lachten wir auch, nickten wir auch mit den Köpfen, in der Bedeutung, daß das Bier und der Schnaps sehr gut seien, wir Frauen nickten und lachten als Statisten mit. Ab und zu sagte auch einer ein Wort, aber es war doch hauptsächlich ein Gespräch von Gesten und Geräuschen. Nach kurzer Zeit schon stand ein weiteres Tablett mit riesigen Biergläsern und kleinen Gläsern mit Pflaumenschnaps auf dem Tisch, und die Alten machten wieder auffordernde Gesten und Bewegungen zu trinken und riefen NA SDROWIE, was soviel wie Prost heißt, und wurden immer gesprächiger. Wie sahen die Gespräche aus? Die alten Männer nannten Namen von Orten, von Bergen, von Burgen oder Schlössern, mehr oder weniger in der Nähe von HOMOLE; sie nannten die Namen mit fragendem Ausdruck, und wir wiederholten die Namen bejahend oder verneinend, mit Gesten und Ausdrücken der Bewunderung oder Ablehnung, je nachdem, oder auch mit Lauten der Anstrengung, wie oje, oje! und uff!, die ausdrücken sollten, daß es schwer gewesen war, diesen Ort, Berg, Burg oder Schloß zu erreichen. Wir wanderten noch einmal mit den alten Männern in der kühlen Kneipe den ganzen Weg ab, holten sogar die Karte heraus und breiteten sie auf dem Tisch aus und zeigten mit den Fingern auf die durchwanderten Orte hin, und die Alten zeigten noch auf den oder jenen, während immer weiter Bier und Slibowitz auf den Tisch gebracht wurde. Im

HOSTINEC war es kühl und schattig, fast kalt sogar, die Fensterläden waren vor die Fenster geklappt, aber durch die Spalten sah man die Hitze draußen unerträglich hell.

Nach ein paar Stunden wollten wir weiter, also schnallten wir unsere Rucksäcke wieder auf. Das geschah immer in einem Ritual, bei dem die Männer uns Frauen die Rucksäcke aufhoben, hinhielten und sagten: Darf ich Ihnen in den Rucksack helfen? Diesmal hielten sie nicht und halfen nicht, sondern ließen uns einfach stehen und stürmten wie getrieben aus dem HOSTINEC heraus, dann sahen wir sie auf dem Treppenabsatz vor der Tür stehenbleiben, so merkwürdig steif und gerade standen sie da, der lange Heinz mit seinem Tornister, der angeblich noch von seinem Großvater stammte, der auch schon Wanderer gewesen war, und Hans, der die Wanderung anführte, der alles erdacht und gemacht hatte, und die zwei Peter, der lange und der dicke. Dann sahen wir von drinnen, wie sie da draußen umfielen, als ob ein Maschinengewehr sie niedergemäht hätte, einen nach dem anderen. Wir erschraken furchtbar, rannten raus und konnten gar nicht begreifen, was da geschehen war. Allerdings, man lief in die Hitze wirklich wie gegen eine Wand, das mußte es wohl gewesen sein. Die Wanderer lagen da und rührten sich nicht und reagierten nicht, soviel wir sie auch rüttelten und schüttelten und ihnen ihre Namen in die Ohren riefen, sie lagen wie schwere Steine mitten vor dem Eingang in das HOSTINEC. Und dann bemerkten wir, wie die alten Männer (wahrscheinlich alles ehemalige k.u.k. Schmuggler) hinter den geschlossenen Fensterläden zusahen, wie wir uns abmühten, und sie öffneten sogar die Fensterläden, um uns zu bedeuten, daß wir die Männer doch über die Schulter nehmen könnten, und lachten und lachten und wollten überhaupt nicht mehr aufhören zu lachen. Und wir standen da und wußten nicht, was sollten wir jetzt tun. Erst schleppten wir die Sachen weg, dann zogen, zerrten und schoben wir die schweren Körper in den Schatten, breiteten ihre Schlafsäcke aus, rollten sie drauf und ließen sie liegen. Wir kochten vor Wut, und sie schliefen und schliefen und hörten nicht auf zu schlafen. Da gingen wir weg und badeten uns in dem See vor dem Schmugglerdorf, kletterten in die Kirschbäume, pflückten Kirschen, aßen sie, zogen unsere Kreise um die Schlafenden, holten ein Reclamheftchen aus dem Rucksack, lasen uns daraus vor und warteten und warteten. Als es dämmerte, sahen wir die alten Männer aus dem HOSTINEC kommen, und sie zeigten, bevor jeder den Weg in sein Haus nahm, noch auf die schlafende Reihe und lachten wieder, winkten uns zu und machten unanständige Zeichen, und wir taten, als ob wir sie überhaupt nicht sehen. Einer nach dem anderen von ihnen verschwand, und das HOSTINEC wurde zugesperrt, es wurde nun dunkel und kühl, und wir standen wie ausgesetzt zwischen dem schwarzen Wald und dem schwarzen Dorf an der Schmugglergrenze, wir rauchten noch ein paar Zigaretten zusammen, wir Frauen, und zum Schluß zogen wir die schlafenden Männer ein Stück tiefer in den Wald hinein, unter die Bäume, wo es wärmer ist in der Nacht, und legten uns zu ihnen und hofften, daß sie eines Tages wieder aufwachen würden.

Als wir auf dem Bahnsteig 5 des GLAVNY NADRAŽI, was soviel wie Hauptbahnhof heißt, auf unseren Rucksäcken saßen und auf den Zug nach sonstwo warteten, fiel es Hans und Lise ein, daß sie ihren fünften Hochzeitstag hatten. Da jubelten wir, denn solche Dauer war doch ein großer Sieg über die Einsamkeit und das ewige Alleinsein. Wir holten eine Flasche Slibowitz von der Bahnhofsbude, füllten unsere blechernen Wanderbecher, stießen an und wünschten den beiden, daß sie miteinander und mit ihren Kindern noch lange glücklich sein sollten.
Sie haben sich aber schon bald danach getrennt und ließen sich scheiden, und dann machte Hans Else, meine beste Freundin, schwanger, aber trennte sich auch von ihr und ging mit einer dritten. Ich hielt zu Else, weil sie meine beste Freundin war, und nahm es Hans übel, daß er sie verlassen hatte; ich sprach nicht mehr mit ihm und sah ihn sieben Jahre lang nicht mehr. Lise sah ich aber nun auch nicht mehr so oft, denn sie war sehr unglücklich; ich wollte ihr helfen, wußte aber nicht wie, da ging ich nicht mehr zu ihr hin. Später tat sie sich mit Heinz, einem anderen Wanderer, zusammen, das war praktisch für die Wanderungen, trotzdem konnte man sich nur schwer daran gewöhnen, weil es so ähnlich war wie vorher. Schließlich wurden sie aber ein so festes Paar, daß sie sogar das Bewußtsein vom Originalpaar verdräng-

ten, als ob es schon immer »Heinz und Lise« und nicht jahrelang »Hans und Lise« gehießen hätte. Bis auch sie sich wieder trennten und auseinandergingen nach ein paar Jahren, aber da wanderten wir schon nicht mehr und hatten fast alle schon Kinder. Wir sahen uns nun von Zeit zu Zeit an einem ganz anderen Ort, da hatten wir uns ein Bauernhaus gekauft, und alle, die jemals zusammen und auseinander waren, lebten jetzt dort, zumindest in den Ferien, wie eine große Familie mit ihren Kindern, die alle untereinander Halbschwestern und Halbbrüder waren.

Aber in dem Bauernhaus ging es wieder von vorne los, und die beiden einzigen, die noch kein Paar gebildet und noch keine Kinder zusammen hatten, rissen sich noch einmal los und taten sich neu zusammen. Heinz verließ nun Lise und ging mit der Schwester von Hans, Lises vorigem Mann.

Heinz und Hans' Schwester – das war eine der ganz wenigen Kombinationen, die noch übriggeblieben waren in diesem großen Verwechslungsspiel. Man schämte sich zwar, aber doch war es so, daß die Anteilnahme an dem letzten Wechsel vermischt war mit einer gewissen sportlichen Bewunderung für diesen überraschenden Zug.

Lise war also wieder betrogen und jetzt noch unglücklicher als damals, als ich nicht mehr zu ihr gegangen war, denn inzwischen war sie eine Frau von vierzig. Dieses Mal kam sie zu mir und wollte, daß ich ihr Ratschläge gebe, aber ich dachte an was anderes. Als sie weggegangen war, kamen Heinz und Hans'

Schwester, und ich trank mit ihnen Kaffee und wir sprachen über nichts, und ich dachte auch an was anderes. Ich war schon beim Kofferpacken, und dann fuhr ich ab, in eine andere Stadt, und bin nicht mehr zurückgekommen. Ich denke noch viel an das Haus, in dem wir alle zusammengelebt haben, zumindest in den Ferien. Aber ich schreibe nicht dahin, weil ich nicht weiß, ob sie noch dort sind und wer mit wem zusammen und auseinander ist, und weil ich nun nicht mehr mitspiele.

Dann wollten wir ja auch in Galizien gewesen sein. Ob der Nordosten der Slowakei, wo wir uns befanden, je dazu gehört hat, ja oder nein, das wußten wir gar nicht. Wir wollten aber, daß es so sei, und wir fühlten uns weit weg genug, daß es an dem war. Hinter dem Gebirge, beschlossen wir, fing es an, weil es dort so wie am Ende der Welt war, anders kann man es gar nicht sagen. Es gab kaum noch richtige Orte, nur vereinzelte Häuser aus Holz, und die wenigen Dörfer weit auseinandergezogen und leer, nur am Rande bewohnt. Das, was mal das Zentrum gewesen sein muß, war nur noch ein Gespensterdorf: Ruinen von Häusern, verlassen und elend, in den Ruinen die Reste von Räumen, darin kletterten wir herum; Mauerreste, Reste von Türen und Portalen, Reste von Treppen und Gängen. Vielleicht waren das einmal Gutshäuser gewesen, sie waren immerhin aus Stein, aber nun einfach zerlöchert, hohes Unkraut und Brennesseln wuchsen in die Zimmer, drinnen war draußen und draußen war gar nicht mehr da. Wir suchten nach einer Spur von denen, die da gewohnt hatten, aber nichts, nichts. Wir wagten nicht, jemanden zu fragen, in welcher Sprache auch? Es war ein wahres Babel dort, jeder sprach eine andere Sprache, sogar einen unverständlichen deutschen Dialekt, den der Zipser Deutschen, die sich dort im 13. Jahrhundert angesiedelt hatten. Das erfuhren wir später aus einem Buch. Ein gewisser Teil der Landschaft dort hieß »die Zips«, wie wir auf der Karte sahen. Da schrieb ich eine Postkarte an meinen Freund Jack Zipes in Milwaukee, Wisconsin, daß ich endlich die Herkunft seines Namens aufgedeckt habe, über die er selber nichts wußte. Wahrscheinlich sind seine Vorfahren von dort hergekommen, vielleicht hat sein Urgroßvater eines dieser spurlosen Häuser verlassen.

Die Ruinen waren also das Zentrum und die Bauern wohnten drumherum, und ganz außen am Rand wohnten die Zigeuner. Als ich einmal allein, als Wächter unserer Rucksäcke, vor dem einzigen SAMOOBSLUHA, was soviel wie »Selbstbedienung« heißt, wartete, begegnete ich ihnen zum ersten Mal. Die anderen kauften drinnen das Frühstück ein, und weil das so lange dauerte, und ich wußte ja, warum: weil nämlich in dem SAMOOBSLUHA jedes Stück so fremd ist, daß man es lange in die Hand nehmen und von allen Seiten betrachten muß und dann ewig gestritten wird, ob wir nun das nehmen, von dem wir nicht genau wissen, was es ist, aber man ist doch so neugierig, oder ob wir nun das kaufen, von dem wir genau wissen, was es ist, und kein Risiko eingehen, und weil das eben immer stundenlang dauert, saß ich draußen und langweilte mich. Ich hatte meinen Platz an einem kleinen Teich vor dem SAMOOBSLUHA, um den Teich standen Bäume, und unter jedem Baum schlief ein Mann. Ich durfte aber nicht einschlafen, weil ich ja Wächter der Rucksäcke war, und so nahm ich das kleine Fläschchen, das ich tatsächlich von Berlin bis hierher mitgeschleppt hatte, ein Fläschchen Nagellack von Chanel, öffnete es und fing an, mir die Nägel zu lackieren. Als ich beim zweiten Fingernagel war, stand ein Zigeunermädchen neben mir, und als ich mit den Fußnägeln begann, fragte sie mich, ob sie das Fläschchen haben könne. Da es von Chanel war, wollte ich es nicht weggeben, aber ich bot ihr an, ihre Nägel zu lackieren. Sie ließ es geschehen, und die Nägel waren noch feucht, da lief sie schon weg. Ich war enttäuscht, daß sie so schnell verschwand, aber wenig später kam sie schon wieder zurück und führte eine Schar von Kindern an. Es waren Jungen und Mädchen, größere und kleinere und ganz kleine sogar, die noch nicht richtig laufen konnten, die wurden mitgeschleift oder mehr oder weniger an den Kinderwagen angehängt, in dem noch ein Säugling schlief und den meine Freundin mit den rotlackierten Fingernägeln schob; zwei der Kinder waren mongoloid, sie stießen immerzu kleine Schreie aus, nicht unzufrieden oder weinend, nur so, wie die Lokomotive ab und zu pfeift. Sie umringten mich in ihren Lumpen, bis meine Freundin Ordnung schaffte. Sie stellte alle in einer Reihe auf und hielt mir die Hand des ersten hin, und ich begriff, daß ich zu lackieren hatte, und lackierte die Fingernägel und dann die Fußnägel erst von Kind Nummer 1 und dann von Kind Nummer 2 und so weiter nach der Rangordnung meiner Freundin, Mädchen und Jungen und die beiden Mongoloiden und auch den Säugling, der dafür aus dem Schlaf gerissen wurde und für dessen winzige Fingernägel sogar das kleine Pinselchen zu breit war. Dann war der Nagellack verbraucht, und ich schmiß das leere Fläschchen von Chanel in hohem Bogen über den Platz.

Inzwischen waren die Einkäufer aus dem SAMOOBSLUHA zurückgekehrt, und die Kinder stürzten sich nun auf sie und ihre Taschen und Tüten. Da setzten wir uns gemeinsam hin, breiteten die Tischdecke aus, gleich da, vor dem Laden, und frühstückten, während die beiden Mongoloiden weiter ihre Schreie ausstießen. Die schlafenden Männer unter den Bäumen erwachten und fluchten zu uns herüber, und auch die in den Laden hereingingen und herauskamen, fluchten, und das galt nicht uns, sondern den Zigeunerkindern.

Gegen Ende des Frühstücks verwickelten uns die Zigeunerkinder in Spiele, damit wir länger blieben, und sie gebrauchten eine starke Taktik, indem sie uns nämlich vereinzelten. Jeder von uns spielte in einer Gruppe von ihnen ein anderes Spiel, das ja nicht beliebig abgebrochen werden konnte, Karten, Murmeln und Fußball mit dem kleinen Fläschchen von Chanel, das die Kinder längst wieder zurückgeholt hatten. Es war unmöglich, aus den Spielen herauszukommen, immer war einer gerade mittendrin, und es

wurde ein richtiger Kampf zwischen uns und den Kindern, weil sie wollten, daß wir unbedingt bleiben, und wir glaubten, unbedingt weiter zu müssen. Da rissen wir uns los, auf Zuruf, so, wie es im Lateinunterricht immer hieß: Die Römer machten einen Ausfall. Tatsächlich hatte unsere Aktion etwas Militärisches, und in den Verhandlungen konnten die Kinder nur erreichen, daß sie uns noch ein Stück begleiteten. Sie brachten uns heraus aus dem Ort, vorbei an einem plattgewalzten Friedhof, und dahinter zeigten sie uns ein paar kleine Steinhäuser, Baracken mehr, flach und kaputt, alle Fensterscheiben waren heraus und nur an einigen Stellen durch Pappe oder Papier ersetzt. Dort, zeigten die Kinder, wohnten sie, und als wir die Häuser erreicht hatten, verschwanden sie ganz schnell in diesen Löchern, ohne irgendein Zeichen des Abschieds. Nur einer der Mongoloiden guckte noch einmal aus einem kaputten Fensterloch und stieß seine Schreie aus und winkte mit den rotlackierten Fingernägeln, aber eine Frau riß ihn schnell wieder weg.
Wir wanderten weiter, und die Landschaft wurde milder und lieblicher, in diesem Sinne auch schöner, Bauernbarock in den Dörfern und sanfte Madonnen am Weg. Wir waren auf der Suche nach einer gewissen »Weißbrotmadonna«. Diesen Namen hatten wir von VYŠŠI-BRODSKA MADONNA abgeleitet, aber weder heißt vyssi weiß, noch brodska Brot, und so fanden wir sie nicht auf unserem Weg, sondern erst viel später, in einem ganz anderen Jahr, im Museum in der Prager Burg. Da hieß sie Hohenfurter Madonna,

denn vyssi heißt hoch und brod heißt Furt. Dafür fanden wir die kleine Stadt LEVOČA, die sehr weit und sehr einsam oben auf einem Berg liegt. Man kommt an vier Seiten durch vier Tore in die Stadt, und obwohl es nur ein Städtchen ist, besitzt es eine mächtige Kirche, die auch in ihrem Innern so reich ist, daß wir uns wirklich fragten, woher denn hier plötzlich dieser Reichtum kam. Die Kirche steht auf einem großen Renaissanceplatz mit Arkadengängen, und einer von uns, der schon mal in Italien gewesen war, sagte, es sähe dort nicht anders aus. Um den großen Platz herum gab es noch ein paar Straßen, und das war dann schon die ganze Stadt LEVOČA. Eine Straße, fanden wir, war so schön, daß wir unbedingt dort übernachten müßten, koste es, was es wolle. Wir klingelten an jeder Tür, bis wir jemanden fanden, der uns erlaubte, in seiner Wohnung in einem Zimmer unsere Schlafsäcke auszubreiten.

Am Abend wollten wir noch durch die Gassen gehen, es war nicht mehr hell und noch nicht dunkel, die altertümlichen Straßenlaternen brannten schon und der Vollmond schien. In einer Straße sang eine Zigeunerin, vielleicht war es auch eine Slowakin, und sie, oder vielleicht war es auch ein anderer, spielte dazu auf einer Harmonika. Sie stand am dunklen offenen Fenster und sang, man sah nur ihre Silhouette. Wir blieben stehen und lehnten uns an die gegenüberliegende Hauswand, und sie sang, glaube ich, hundert Lieder, eines nach dem anderen, sie sang sie immer lauter, sie schrie und brüllte, und die Harmonika brüllte auch. Als wir weitergingen, hörte man den Gesang noch bis zum Ende der Straße, wahrscheinlich bis zum Ende der Stadt. Die Straße war, wie alle Straßen in dem Städtchen, abschüssig, am Ende war das Tor, das wieder hinausführte. Durch das Tor sah man die dunkle Landschaft liegen, es war eine seltsame Abstufung der Farben, die Straße war schwarz, die Landschaft hinter dem Tor war blau und der Himmel mit seinem Vollmond war ganz hell. Und die Frau hörte nicht auf zu singen. Da sagten wir zueinander: Hier ist es zu schön, da können wir nicht bleiben.

Wie schon gesagt, wir stritten uns so viel. Wir saßen in Gärten mit sommerlichen Blumen und stritten über die Konzentrationslager, wir badeten im kühlen Fluß und stritten über Gottfried Benn, wir liefen im Morgennebel auf dem Kamm der Berge und stritten über den russischen Verrat am Warschauer Aufstand, wir tranken abends Tee auf der Terrasse eines friedlichen HOSTINEC und stritten über die RAF, wir saßen auf unseren Rucksäcken am Brunnen zu Füßen der Mondsichelmadonna und stritten über unsere Eltern, immer wieder vor allem über unsere Eltern. Wir stritten beim Aufstehen, beim Essen, beim Gehen, Stehen und Wiederhinlegen. Eines Morgens wachte ich auf und war krank davon. Ich wollte nicht mehr, ich konnte nicht mehr, ich hatte Fieber, und ich sagte zu den anderen: Wißt ihr, ich muß mich irgendwo ausruhen, ich suche mir einen Platz, wo ich ein paar Tage bleiben kann, ihr wandert weiter und ich komme dann mit dem Zug oder Bus hinterher.

An einem Ort, den wir verabreden, da treffen wir uns wieder, um neun Uhr früh auf dem Markt, vielleicht in, sagen wir, KOSKOVCE. Alle waren einverstanden, und das kränkte mich erst recht, daß sie mich wirklich zurücklassen wollten, und weil ich gekränkt war, wollte ich es gerade, und es ging ganz schnell, da waren meine Freunde alle weg und ich saß allein in der leeren Scheune, in der wir übernachtet hatten. Ich saß da und betrachtete mir die Skizze, die ich mir noch schnell mit dem Bleistift von der Wanderkarte abgezeichnet hatte, verglich sie mit der Landschaft um mich herum und konnte nichts Gemeinsames finden, obwohl doch die eine die andere abbilden sollte. Ich stocherte in den Resten von unserem Frühstück und wußte nicht, was nun. Bleiben wollte ich gar nicht mehr, lieber gleich weg, ich werde sofort nach KOSKOVCE fahren, kaufe mir ein paar Aspirin und such mir ein Bett, da leg ich mich hin und warte.
Ich lief lange und langsam bis zur nächsten Straße, da stellte ich mich hin und winkte, bis ein Auto hielt. Darin saß ein fröhliches Ehepaar, ich zeigte ihnen meine Bleistiftskizze und das Kreuz, das den Ort bezeichnete, den ich suchte. Das fröhliche Ehepaar ließ mich einsteigen, ihr Radio lief laut, sie sagten nichts, sie fragten nichts, aber schon bald hielten sie wieder an und ließen mich aussteigen, dazu redeten sie etwas, das ich nicht verstand. Wahrscheinlich fuhren sie nun doch in eine andere Richtung. Sie rauschten ab, und ich stand an einer Straßenkreuzung in den slowakischen Bergen und lief auf der

Fernstraße geradeaus, auf der Suche nach dem Ort KOSKOVCE, und die Straße wurde plötzlich ganz einsam, da fuhr kein einziges Auto mehr. Ich fühlte mich sehr schlecht, viel schlechter als beim schlimmsten Streit, und ich fragte mich, warum ich mich, warum wir uns eigentlich immer so aufgeregt haben, es waren doch wenigstens meine Freunde, und wenn sie sprachen, konnte ich verstehen, was sie sagten.
Neben der Straße war ein Bach, rechts und links Wiesen mit ein paar Schafen drauf, und weiter nichts bis zu den Bergen. Ganz weit hinten an der Straße sah ich ein paar Häuser, bis zu denen mußte ich es noch schaffen, und dort ließ ich mich dann fallen vor einem Garten. Ich setzte mich auf den Rucksack, lehnte den Rücken gegen den Gartenzaun und wartete, ob mich vielleicht jemand abholen käme, denn ich glaubte wirklich, daß ich keine Kraft mehr hätte, auch nur einen Schritt weitergehen und meinen Rucksack tragen zu können. Dann sagte ich mir, daß ich eine Bushaltestelle suchen müsse. Und richtig, ich fand eine in der Mitte des Dorfes, es standen mehrere Busse da, und es gab eine Bank um einen dicken Baum herum, auf der konnte man warten. Und so wartete ich. Meine Bleistiftskizze trug aber keinen der Namen, die auf den Busplänen und Busschildern standen, und KOSKOVCE gab es überhaupt nicht. Da setzte sich eine Frau zu mir und sprach mich an, und als sie merkte, daß ich nicht verstand, konnte sie auch ein paar Worte Deutsch. Ich zeigte ihr meinen Plan auf dem Zettel und sagte ihr den Namen des Ortes, wo ich hin wollte, wenn sie auch nicht verstand, was

ich da wollte, da ich doch den Ort gar nicht kannte und niemanden dort kannte, sie sah aber, daß ich krank war, und forderte mich auf, mit ihr zu kommen, genau an diesen Ort, nach KOSKOVCE, sie wohne dort. Ich sollte mich bei ihr ins Bett legen, bis ich wieder gesund sei. Dafür war ich ihr sehr dankbar, ich lief hinter ihr her, stieg in den Bus, in den sie stieg, setzte mich neben sie und stieg nach einer holprigen Fahrt mit mehrmaligem Umsteigen da aus, wo sie auch ausstieg, und folgte ihr den Weg durchs Dorf bis in ihr Haus. Das war ein kleines flaches Bauernhaus mit einem Innenhof, die Zimmer des Hauses lagen um den Hof herum, so daß man sich in der eigenen Wohnung gegenseitig in die Fenster gucken konnte. Die Frau brachte mich direkt ins Schlafzimmer. Es war voll von Heiligenbildern, und sonst stand nur ein riesiges Ehebett und ein kleines Bett zu seinen Füßen darin. Sie hieß mich hinlegen, aber nicht in das Ehebett, sondern in das kleine, das zu seinen Füßen quer stand, und gab mir ein langes Nachthemd, das zog ich an und wunderte mich über den schweren festen Stoff, und dann versank ich unter der riesigen Decke und ertrank in dem riesigen Nachthemd, und sie brachte mir einen Tee und maß mir das Fieber, und schließlich schloß sie die Fensterläden von außen und sagte, ich solle jetzt schlafen. Nun war es stockfinster in dem Zimmer, sogar die goldenen Heiligenbilder verlöschten. Mir war so heiß in dem Bett, das so kalt war. Aber dann schlief ich in dem fremden Bett ein, und als ich wieder aufwachte, ging es mir wirklich besser.

Ich stieg aus dem Bettenmeer und ging in meinem langen Nachthemd aus dem dunklen Zimmer über den Hof in die Küche, weil ich die Frau dort vermutete. Die Küche war nun voll von Frauen, jüngere, ältere und ganz alte saßen da und schienen auf mich zu warten und ich erkannte nicht mal mehr die, mit der ich gekommen war. In der Mitte der Frauen saß ein einziger Mann. Als ich eintrat, rückten alle zur Seite, damit ich mich zwischen sie setzen konnte, und dann servierten sie mir. Eine kalte Obstsuppe, einen heißen Tee, ein Essen mit viel Knoblauch, einen Schnaps und einen Kuchen. Ich saß zwischen den Frauen wie beim Geburtstag, als ob dies alles meine Freundinnen seien, die ich eingeladen hatte. Es wurde gar nicht gesprochen, sie sahen mir schweigend zu, wie ich aß, und nur, als ich fertig war, stellte mir die älteste von den Frauen folgende Frage: »Deine Mutter lebt?« Ich sagte: »Ja.« Da atmeten sie alle auf, und weiter stellten sie keine Frage, keine einzige.
Dann wurde der Mann, der da zwischen den Weibern saß, vorgestellt, es war der Ingenieur Tičo-Pečna. Er gab mir die Hand und seine Visitenkarte und erklärte mir auf deutsch, daß man ihn geholt habe, damit wir uns unterhalten könnten, und er wolle sich nun um mich kümmern. Die Frauen standen alle schon wieder, die Versammlung löste sich auf, die Küche leerte sich, und ich blieb allein mit dem Ingenieur. Er schlug vor, mich durch das Dorf zu führen und mir den Ort zu zeigen, wenn ich mich soweit wiederhergestellt fühle, und ich sagte, daß ich das gern tun würde. Ich

hatte aber noch das lange Nachthemd an und ging erst wieder zurück über den Hof in das Schlafzimmer und schüttete dort meinen Rucksack aus, ganz unten war darin ein Rock und eine Bluse vergraben für den Fall, daß wir mal in eine »richtige« Stadt kämen. Nun war die Stunde gekommen, sie anzuziehen, und obwohl die feinen Sachen vollkommen zerknittert waren, spazierten wir dann Arm in Arm, der Ingenieur und ich, irgendwie sonntäglich durch das Dorf. Der Ingenieur stellte mich überall vor und erklärte, wo ich her war und wie ich dahin gekommen sei und daß ich krank sei und nun hierbliebe bis zu meiner Genesung. Er brachte mich auch in das kleine Barockkirchlein, um es mir zu zeigen und auch, um mich dort zu zeigen. Es war die Stunde des Gottesdienstes und die Kirche war voll, und ich sah dort all die Frauen aus der Küche wieder, die mich ganz vertraut begrüßten, und dann erzählte der Ingenieur auch dem Pfarrer noch die ganze Geschichte, wie ich in das Dorf geraten war.
Am Abend lud mich der Ingenieur zu sich ein. Er lebte ganz allein in einem flachen Haus, um es herum war ein kleiner Wald von hohen Büschen und seltsam hochgewachsenen Blumen, bis über die Höhe des Hauses waren sie gewachsen, so daß man, wenn man aus dem Fenster des Hauses sah, durch die Stiele der Blumen wie durch Baumstämme hindurchguckte. Er zeigte mir sein Zimmer, das war voll von Büchern, Berge und Haufen von Büchern, an den Wänden Regale voller Bücher und außerdem Hefte, Schachteln, Kartons, Gläser und Büchsen, alle beschriftet;

eine Studierstube, ein Laboratorium fast. Ich fragte mich, was für ein Ingenieur er wohl sei, er erklärte es mir aber nicht, er wies auf alles, er zeigte alles, aber er erklärte nichts. Dann bereitete er einen Tee in der Küche, die Küche zeigte er mir auch nicht, und ich hatte fast etwas Angst, den Tee zu trinken, nicht daß ich dachte, daß es Gift sei, aber doch, wer weiß was es war. Dann plauderte er wieder wie vorher, und ich verlor meine Angst wieder in der Hexenstube. Schließlich brachte er mich »nach Hause« auf meinen Hof. Es war gar nicht sehr spät, aber sie gingen dort alle schon schlafen und ich wurde auch gleich ins Bett geschickt, nachdem mir die Frau noch einmal das Fieber gemessen hatte. Jetzt war auch ihr Mann da, den ich vorher noch nicht gesehen hatte, und dann schlief ich das zweite Mal in dem kleinen Bett, quer zu Füßen des Ehepaares.

In der Nacht träumte ich, daß ich im Gitterbett zu Füßen meiner Eltern schliefe und noch ihr kleines Kind sei. Ich kletterte aber über die Stäbe und wollte zu meinem Vater. Als ich bei ihm anlangte, war ich erwachsen, und der, der da lag und schlief, war mein Freund. Ich streichelte ihn und weckte ihn und sagte: »Komm doch zu mir.« Er zeigte aber auf die Frau neben sich und auf das Gitterbett. Da nahm ich einen kleinen Zettel und schrieb mit Bleistift folgendes darauf:

> Wir würden einmal durch die Welt wandern. Manchmal liefen wir oben auf den Bergen und manchmal unten durch ein Tal. Wenn die Sonne zu heiß schiene, fänden wir schnell einen Schatten,

und hätten wir Durst, fänden wir schnell eine Quelle, und hätten wir Hunger, würde da alles wachsen, was wir brauchten.
Wir besichtigten alte Schlösser und alte Burgen, und während wir uns das ansähen, schwiegen wir, aber wenn wir weiterliefen, redeten wir. Wir erzählten uns von unseren Leben. Wir stritten uns nicht.
Es könnte sein, daß mal eine Gefahr auftauchte, wir besiegten sie aber.
Abends legten wir uns zusammen in ein Bett in einem fremden Haus in einem fremden Ort. In der Nacht wachten wir manchmal auf, und wir würden uns gegenseitig fragen, ob wir träumen.

So hab ich es auf den Zettel geschrieben.

Am vereinbarten Tag dann, zur vereinbarten Stunde begab ich mich in Begleitung des Ingenieurs zur vereinbarten Stelle, und siehe, meine Freunde standen da schon und erwarteten mich, und wir freuten uns, daß wir einander wiedergefunden hatten, denn das war uns schon beinahe unwahrscheinlich vorgekommen, in so einem gottfernen Nest wie KOSKOVCE.
Der Ingenieur zeigte uns eine schöne Stelle am Ausgang des Dorfes, einen Felsvorsprung, da haben wir noch mit dem Ingenieur zusammen gefrühstückt.
Am Ende dieses Tages waren wir aber schon wieder weit von KOSKOVCE, in einem ganz anderen Dorf, und weil das Wetter regnerisch war, mußten wir nach einer Unterkunft fragen, und man bot uns ausgerechnet

das Dorfkino zum Übernachten an und schloß es uns auf. Da drinnen im Kino haben wir dann im Parkett geabendbrotet und auf der Bühne geschlafen.
Und als wir schon in unseren Schlafsäcken die Reißverschlüsse bis zur Nase zugezogen hatten, da holte der lange Peter noch einen »Wilhelm Meister« aus der Tasche und las uns vor:
»Die Welt ist so leer, wenn man nur Berge, Flüsse und Städte darin denkt, aber hier und da jemanden zu wissen, der mit uns übereinstimmt, mit dem wir auch stillschweigend fortleben, das macht uns dieses Erdenrund erst zu einem bewohnten Garten.«
Da schliefen wir aber schon.

Doppeltes Grab

Wir standen mit Gerschom Scholem am Grab seiner Eltern und seiner Brüder auf dem Jüdischen Friedhof in Berlin-Weißensee. Es war kalt, es war Dezember. Gerschom Scholem und Fania, seine Frau, hatten leichte Mäntel an, sie waren gerade aus Jerusalem gekommen. Scholem hätte eigentlich wissen müssen, wie kalt es im Dezember in Berlin ist, er hat ja lange genug hier gelebt, war hier geboren und aufgewachsen. Aber wahrscheinlich war das schon zu lange her. Es war 1923, als er wegging, weil er glaubte, daß er nichts mehr verloren habe in Deutschland.
Wir räumten das Grab frei von altem Laub und den Zweigen, Ästen und halben Bäumen und von dem maßlosen Efeu, das über alle Gräber klettert, von einem zum anderen, von Grab zu Baum und von Baum wieder zu Grab, und sich alles nimmt und alles verschlingt, bis die ganze steinerne Ordnung wieder zu einem Wald verwächst und nicht nur der Körper der Toten, sondern auch dieses ganze Werk der Erinnerung an ihn wieder zu Erde wird. »Da braucht man eine Axt, wenn man das Grab eines Vorfahren besuchen will, um sich einen Weg durch die angewachsene Zeit zu schlagen«, sagte Scholem.
Auf dem Grabstein stand:

ARTHUR SCHOLEM
geb. 1863 in Berlin gest. 1925 in Berlin
BETTY SCHOLEM, geb. Hirsch
geb. 1866 in Berlin gest. 1946 in Sydney

WERNER SCHOLEM
geb. 1895 in Berlin
erschossen 1942 in Buchenwald
ERICH SCHOLEM
geb. 1893 in Berlin gest. 1965 in Sydney

Scholem erzählte von seinem Vater, von seiner Mutter, von seinen beiden Brüdern, dem, der Kommunist geworden und in Buchenwald umgebracht worden war, und Erich, der nach Australien ausgewandert war. Er stellte sie uns alle vor, einen nach dem anderen. Und dann blieben wir eine kleine Weile stumm, für die Zeit vielleicht, in der man hätte »Guten Tag« sagen und sich die Hand geben können. Scholem sprach ein kurzes Gebet. Er sprach es ganz leise, er flüsterte bloß.

Nahe dem Eingang, auf dem Wege zu dem Grab, gab es eine Baustelle, man konnte zwar nicht erkennen, was gebaut wurde, und alles sah aus wie immer, trotzdem war ein großes Stück des Weges abgesperrt mit einem Seil, daran ein Fähnchen, darauf die Aufschrift: »Achtung Baustelle«. Fania Scholem nahm das Seil samt Fähnchen ab, ganz einfach, nur so, wie man die Klinke der Tür drückt, durch die man geht, und lief quer über die markierte Baustelle, und Gerschom Scholem rief ihr nach: »Siehst du nicht, daß der Weg gesperrt ist?« Aber Fania antwortete: »Ich lasse mich doch nicht von einem Strick abhalten, meinen Weg zu gehen! Siehst du nicht, daß da gar nichts zu sehen ist?« Scholem schüttelte den Kopf,

aber folgte ihr doch auf dem verbotenen Weg über die unsichtbare Baustelle, nicht ohne am Ende das Seil hinter sich wieder einzuhängen.
Vor dem Tor des Friedhofs wartete ein schwarzer Mercedes mit Chauffeur auf Gerschom Scholem und Fania, der war ihnen nämlich von der Ständigen Vertretung der Bundesrepublik Deutschland in der DDR, die Scholem eingeladen hatte, also von Bölling, oder vielleicht war es auch noch Gaus, für diesen Tag zur Verfügung gestellt worden.
Wir fuhren zur Schönhauser Allee. Scholem wollte sich eine schweinslederne Aktentasche kaufen, so eine, wie er sie früher in Berlin immer gehabt hatte. In Jerusalem gibt es so etwas nicht, und er hatte diese Aktentasche damals so geliebt und sich später immer wieder eine gewünscht, aber nie mehr bekommen. Deshalb wollte er sich jetzt in Berlin eine kaufen.
Scholem und Fania, seine Frau, betraten den Laden schon durch die falsche Tür und wurden wieder zurückgeschickt, um noch einmal durch die richtige Tür, auf der »Eingang« geschrieben steht, hereinzukommen. Dann versäumten sie in dem Selbstbedienungsladen an der bestimmten Stelle einen Einkaufskorb zu nehmen, und wurden wieder gerügt. Sie bemerkten es aber gar nicht, weil sie sich laut unterhielten, und darüber ärgerten sich die Verkäuferinnen wohl auch und zeigten nur widerwillig einige Taschen vor. Fania wurde wütend über die Unfreundlichkeit und ständige Zurechtweisung, aber Scholem bat sie, sich zurückzuhalten. Zum guten Schluß kauften sie eine Aktentasche und waren sehr

froh, weil es ein so alter Wunsch gewesen war und jetzt, nach so langer Zeit, endlich erfüllt.
Fania Scholem sprach deutsch. Aber woher konnte sie es? Ihre Muttersprache ist Hebräisch, später sprach sie polnisch, jiddisch, russisch, und dann als Fremdsprachen Englisch und Französisch, aber kein Deutsch. Also woher konnte sie es jetzt? »Sie hat es im Zusammenleben mit mir irgendwie eingeatmet«, sagte Scholem.

Dann saß Scholem bei uns zu Hause im Schaukelstuhl. Er hatte bei der Tante Eva in Jerusalem schon alle unsere Briefe gelesen, und er sagte, ich solle nicht in die Küche gehen und keinen Kaffee kochen, weil man dann nur kostbare Zeit des Gespräches verlieren würde. Er fragte und erzählte, und wir fragten und erzählten.
Was hat er nicht alles erzählt, tausend Begebenheiten aus deutscher und jüdischer und deutschjüdischer, alter, neuer und altneuer Geschichte. Von den Frankisten, der jüdisch-messianischen Sekte in Polen, deren Anhänger später alle zum Katholizismus übergetreten sind; über die hatte er gerade gearbeitet. Und von Walter Benjamins Freund Noeggerath aus Berlin, über den er jetzt hier noch etwas herauszufinden hoffte. Dann schimpfte er auf den Lubawitscher Rebben, dem habe er die Fälschung eines angeblich historischen Briefes nachgewiesen, und so etwas rege ihn als Historiker maßlos auf. Und vom Gesamtarchiv der Juden erzählte er noch, das sich heute im Staatsarchiv der DDR in Merseburg befindet, und

wie er zum erstenmal dort war und es mit eigenen Augen gesehen hat, und von der Bibliothek der Jüdischen Gemeinde in Berlin, der ehemals riesigen Bibliothek in der Oranienburger Straße 68. Und wir sagten, da ist sie heute wieder, nur ist sie nicht mehr riesig, sondern winzig klein, aber in derselben Straße, in demselben Haus. Dort habe er die ersten Bücher jüdischen Wissens ausgeliehen, sagte Scholem, und wir sagten: wir auch. Und damit habe eigentlich alles angefangen, und wir sagten: bei uns auch.

Und dann erzählte uns Scholem vom Schicksal dieser Bibliothek. Nach dem Krieg nämlich war er im Auftrag des israelischen Staates nach Berlin gekommen, um dieser Bibliothek nachzuforschen und sie, wenn möglich, herüberzubringen. Jüdische Bücher sind von den Nazis nicht vernichtet worden, im Gegenteil, sie wurden gesammelt und katalogisiert von zehn eigens dafür angestellten jüdischen Gelehrten (von ihnen haben nur die beiden, die mit deutschen Frauen verheiratet waren, überlebt). Später wurde die ganze Sammlung nach Prag ausgelagert, weil die Nazis davon ausgingen, daß diese Stadt nicht bombardiert werden würde, und nach dem Krieg, also nach dem Sieg, sollten die zusammengetragenen Bücher wohl den Triumph über die Juden demonstrieren, so wie einst die Tempelschätze des zerstörten Jerusalem in Rom. Die Regierung der Tschechoslowakei, die nach dem Krieg die Sammlung in Prag vorfand, hat sie als ihr Eigentum betrachtet und in aller Welt zum Verkauf angeboten. So sind die

Bücher überallhin verstreut worden, kein Mensch weiß wohin, hier und da kann man eines oder ein anderes in einer Bibliothek oder einem Antiquariat in irgendeiner Stadt der Welt wiederfinden. Ein paar von ihnen hat Scholem auf seinen Reisen in allen möglichen Städten und Ländern wiedergefunden und wiedergekauft, die stehen jetzt bei ihm zu Hause. Es sollen auch 500 sehr wertvolle hebräische Handschriften darunter gewesen sein, von denen Scholem zwei in Warschau wiederentdeckt hat. »Es ist den Büchern nicht besser ergangen als den Menschen«, sagte Scholem. Über seine Nachforschungen hat er einen Bericht verfaßt, den er aber nie veröffentlicht hat.

Später saßen wir im Hotel »Berolina«, dort wollten wir Scholem und Fania, seine Frau, zum Essen einladen, und nachdem er noch erzählt hatte, wie die Franckisten nach ihrem Übertritt zum Katholizismus in den polnischen Adel eingeheiratet und den also vollkommen »verjudet« haben, und darüber gelacht hatte, sagte Scholem zu mir und Peter, meinem Mann: »Es heißt: Wandere aus in ein Land der Thorakenntnis (. . . und sprich nicht, daß sie zu dir komme, denn nur, wenn du Gefährten hast, wird sie sich dir erhalten. Sprüche der Väter 4, 18). Jerusalem wäre gut, New York wäre gut, London wäre gut, sonstwo wäre gut, aber Deutschland ist nicht mehr gut für Juden. Hier kann man nichts mehr lernen, also hat es keinen Sinn zu bleiben, es ist viel zu schwer. Wie das gehen soll, daß ihr dahinkommt, weiß ich nicht, aber ich werde es mir überlegen.«

Sie lehnten es beide ab, Fleisch zu essen, sie lebten zwar nicht strikt koscher zu Hause, sagten sie, aber hier in Berlin wollten sie doch lieber kein Fleisch nehmen. Fisch gab es aber nicht in dem Interhotel, und da konnten wir sie nur zu einem Eiersalat einladen, der auch schon halb vertrocknet war. Scholem und Fania redeten laut und lachten laut, und ich spürte die mißbilligenden Blicke von allen Seiten auf dieses ungenierte alte Paar.
Vor dem Hotel wartete der Chauffeur von der Ständigen Vertretung, und da stiegen sie dann schließlich ein, und wir standen noch eine kleine Weile vor den offenen Wagentüren und sagten, was es für ein schöner Tag gewesen sei, und Scholem zeigte nochmal auf die schweinslederne Aktentasche und sagte, das sei ein großer Erfolg für ihn gewesen, und dann: »Auf Wiedersehen. Na, ob wir uns wiedersehen . . .«

Am nächsten Tag rannten wir in die Bibliothek in der Oranienburger Straße und holten uns alle Bücher von Scholem nach Hause. Sie standen auch dort tatsächlich, worüber er sich schon vorher bei uns beschwert hatte, neben denen vom »deutschnationalen« Schoeps, dem er sich doch so fern fühlte.
Bald bekamen wir auch Post von Scholem, er schickte uns sein Buch über die Franckisten, das nun gerade erschienen war, und bat uns, es der Bibliothek der Jüdischen Gemeinde in seinem Namen zu schenken, wenn wir es gelesen hätten, und das haben wir auch getan.

Wenige Wochen später rief mich meine Freundin an und sagte, sie habe »was Blödes« im Radio gehört. Ich verstand nicht, was sie mir mitteilen wollte, aber da sagte sie schon, daß Gerschom Scholem heute in Jerusalem gestorben sei und morgen sei das Begräbnis. Das war am 21. Februar 1982.
Er war 84 Jahre alt, als er starb. Aber für mich war er gerade auf die Welt gekommen. Jahre und Jahre war Gerschom Scholem nur Schrift gewesen. Schrift seines Namens auf Titeln von Büchern und über Zeitschriftenartikeln, Schrift in der Folge eines kleinen Sternchens im Text, beim Nachschlagen hinten im Buch, einer Anmerkung. Oder manchmal, wenn er von dem oder jenem erwähnt wurde, der Klang seines Namens, dieses seltsamen Namens.
Dieser Name war nun als Mensch erschienen, als wahre Wirklichkeit, laut redend, berlinernd, ein langer Lulatsch mit abstehenden Ohren, die ganze Mystik in unserem Schaukelstuhl. Er hatte die Reise seines Lebens noch einmal zurückgelegt, noch einmal Berlin – Jerusalem retour, und er hatte einen zu leichten Mantel angehabt.

Es ist kalt, es ist Dezember, drei Jahre später. Ich sitze im »Petit Café« auf der Avenue du Général de Gaulle. Es ist also nicht New York und nicht London, aber Frankreich, da sitze ich und denke an Scholem in Berlin. Das Café ist leer, nur am Nebentisch sitzen die drei Araber, die immer da sitzen und die ich schon ganz gut kenne, weil wir uns ein paarmal unterhalten haben, und die sehr freundlich sind, obwohl ich ihnen gleich erklärt habe, daß ich »israélite« bin. Sie haben nur nicht verstanden, warum ich dann kein Hebräisch spreche (es ist doch auch dem Arabischen so ähnlich), so habe ich noch erklären müssen, daß meine Muttersprache Deutsch ist und daß ich aus Deutschland komme und nun hier lebe, weil es in Deutschland so gut wie keine »israélites« mehr gibt, und da fragten sie: Warum denn nicht?

Nach Scholems Tod, bald danach, bin ich noch einmal auf den Friedhof nach Weißensee gegangen, an das Grab seiner Eltern und seiner Brüder. Ich wollte irgendeine Handlung der Erinnerung vollziehen, und ich nahm denselben Weg, den wir gegangen waren, hängte das Seil mit dem »Achtung Baustelle«-Fähnchen ab und lief quer über den abgesperrten Weg, so wie wir es damals getan hatten. Dann stand ich wieder vor dem Grab, und da sah ich, unter all den Namen seiner Familie steht nun auch der seine. Da steht:

GERHARD G. SCHOLEM

geb. 1897 in Berlin gest. 1982 in Jerusalem

Die meisten Menschen haben nur ein Grab. Gerschom Scholem hat zwei. Eines in Jerusalem und eines in Berlin. Er hatte wohl auch zeit seines Lebens in beiden Städten gelebt. Deshalb hat er ein doppeltes Grab. So ein Leben war das eben.

Marina Roža

Die Rebjata* hatten Peter zum Schabbes in die Holzsynagoge MARINA ROŽA in Moskau eingeladen. Die MARINA ROŽA liegt so weit draußen, daß man, wenn man ein frommer Jude ist und das Fahrverbot am Schabbes nicht verletzen will, auch dort schlafen muß.

Als Peter die MARINA ROŽA betrat, hatte er das Gefühl, in eine Räuberhöhle geraten zu sein. Da hatten sich die Rebjata verschanzt wie die Räuber in den böhmischen Wäldern. Ury war ihr Bandenchef, er lief im Frack und schwarzem Hut herum, und auch die anderen waren feierlich gekleidet, zur Ehre des Schabbes. Die MARINA ROŽA war ein baufälliger Holzschuppen und kurz vor dem Zusammenkrachen, die Wände hielten sich, so schien es, nur durch die an ihnen hochgestapelten Berge von kaputten oder ganzen Möbeln, Büchern und Betutensilien, aber doch war sie durch die Schabbesstimmung der Rebjata von heiliger Leidenschaft erfüllt. Und in diesem Gegensatz drückte sich sehr deutlich die Überzeugung der Rebjata aus, ihre innere Hingabe an die chassidische Bewegung des Lubawitscher Rebben auf der einen Seite und die Verachtung all dessen was sie »äußerlich« und »europäische Kultur« nannten, auf der anderen.

Peter stellte fest, daß von den Rebjata tatsächlich alle in der Lage waren, unpunktierte hebräische Texte fließend zu lesen und zu übersetzen. Auch von der

* russ.: eigentl. Kinder, hier: Kumpel

einzigen Frau unter ihnen hörte Peter, aber nicht von ihr selbst, denn sie erschien nur kurz und verschwand schnell wieder, daß sie Gemore* lesen könne, ein Grad von jüdischer Bildung, den man erst nach jahrelangem Studium erreicht.
Dann hatte Peter noch gehört, daß Ury, der Bandenchef, keinen Auswanderungsantrag gestellt habe. Er war somit der erste religiöse russische Jude, den Peter traf, der nicht weg wollte. Er fragte Ury, warum. Ury widersprach empört, denn natürlich wollte er nach Eretz Israel, und zwar lieber heute als morgen, aber nicht zu einem Datum, das ihm sowjetische Behörden vorschreiben, sondern er gehe, wenn der Tag wirklich gekommen ist, der Tag, an dem der Moschiach** das Volk Israel aus der Zerstreuung in das Land Israel sammelt, und er hoffe, das heißt, er war ganz sicher, daß es bald sein wird, sehr bald. Und als Peter die anderen Rebjata einmal fragte, ob sie denn die MARINA ROŽA nicht reparieren wollten, da sie doch sonst bald ganz zusammenbrechen werde, da meinten sie auch, es lohne sich nicht mehr, denn in der Zeit des Moschiach brauche man sie ja sowieso nicht mehr, und sie hofften, das heißt, sie waren ganz sicher, das sei bald, sehr bald.
Der Beginn des Schabbes rückte heran. Alle leerten ihre Taschen wegen des Trageverbots, alles Geld, was man so bei sich hatte, wurde in einem extra Schrank verschlossen, die Lichtschalter wurden mit Papierstreifen überklebt, damit man sie am Schabbes dann

* Teil des Talmud, in Aramäisch geschrieben
** hebr.: Messias

nicht aus Versehen bedient, Büchsen mit Fisch, eingelegten Gurken und Pilzen wurden geöffnet und die letzten Speisen für die Schabbesmahlzeiten vorbereitet. Selbstverständlich gab es einen milchigen und einen fleischigen Tisch, und es wurde streng darauf geachtet, daß nicht etwa eine Salztüte von dem einen zum anderen Tisch wanderte. Auf den so streng getrennten Tischen herrschte zwar sonst das größte Chaos, und es war insgesamt so eng, daß es leicht geschah, daß Ury mit seinen Frackschößen in eine geöffnete Fischbüchse tauchte, aber das störte nicht.
Es kamen jetzt auch ein paar Alte dazu, die in der Nähe wohnten, und bei ganz schummrigem Licht, das ja nun den ganzen Schabbes über nicht mehr gelöscht werden konnte, fingen die Rebjata, Peter und die Alten an zu beten. Laut und kräftig, daß die MARINA ROŽA bebte, sangen sie »Komm, der Braut entgegen« und »Lied Davids«, und danach murmelte jeder für sich leise das Achtzehngebet.
Nach dem Gebet sollte eigentlich gegessen werden, aber es war plötzlich einer dabei, den keiner kannte und den keiner eingeladen hatte, der also ein Spitzel war, so daß Ury anordnete, daß alle nun zum Schein »nach Hause« gehen und erst nach einer Stunde wiederkommen. Da es andererseits verboten war, Ausländer in die MARINA ROŽA mitzubringen, erklärten die Rebjata den Alten zur Beruhigung, daß Peter – seines deutschen Akzentes wegen – aus Estland komme.
Nachdem sie diese verschiedenen konspirativen Maßnahmen hinter sich gebracht hatten, war es fast

Mitternacht. Dann erst wurde Kiddusch und Mozie gemacht, also Segen über Wein und Brot, und endlich gegessen. Nach dem ersten Gang hielt Ury einen Vortrag über den Wochenabschnitt der Thora, der an diesem Schabbes gelesen wurde. Es war »Korah«, und die Rebjata diskutierten und stritten anschließend lange, auf den schmalen Bänken ohne Lehne sitzend, über die »Rotte Korah«, und manche legten auch ihren Kopf auf den Tisch und schliefen. Gegen drei hörten die letzten auf zu diskutieren, und auf der Frauengalerie wurden Bänke zusammengeschoben und Decken verteilt.
Peter hatte kaum geschlafen, da wurde er wieder von Ury geweckt, und es gab nicht etwa Frühstück, sondern die Rebjata liefen nun eine halbe Stunde durch die Stadt zu einem Park mit einem kleinen See, der sollte als Mikwe* dienen. Bis dahin hatte ja Peter alles mitgemacht, aber dazu konnte er sich nicht entschließen, es war ein zu kühles Frühjahr. Die anderen tauchten dreimal ganz bis über den Kopf in dem kalten Wasser unter, wie es vorgeschrieben ist, und danach zogen sie sich ihre Sachen direkt auf die nasse Haut; ein Handtuch hatte man ja wegen des Trageverbots nicht mitnehmen können. Da sie alle nach chassidischer Sitte den Kopf so gut wie kahlgeschoren hatten, trockneten die Haare schnell. Die Hauptsorge der Rebjata galt vor allem der Miliz, die sie wegen »Nacktbaden« bestrafen könnte. Gottseidank schlief aber die Miliz zu dieser Stunde noch, und

* von den Chassidim oft benutztes rituelles Tauchbad

die Rebjata kehrten unbehelligt in die MARINA ROŽA zurück. Auch die Alten waren wieder zum Morgengebet gekommen, und es wurde mit der Thoravorlesung begonnen. Peter, da er Gast war, wurde zur Thora aufgerufen, und er ließ seine Frau, seine Kinder, seine Eltern und ganz Israel segnen, indem er gelobte, nach Schabbesausgang fünf Rubel zu spenden.
Dann setzten sich alle wieder zu Tisch und aßen die zweite Schabbesmahlzeit. Einer von den Alten hatte sich zu den Rebjata gesetzt und begann, chassidische Lieder zu singen, und die Rebjata sangen mit. Inzwischen hatte sich aber ein zweiter Minjan* von Neuhinzugekommenen gebildet, der erst jetzt die Thora lesen wollte und der sich durch den Gesang gestört fühlte. Die Singenden wurden von den Betenden mehrmals verwarnt, bis sie sich sogar beschimpften, aber am Schluß blieb doch alles, wie es war, die Singenden sangen und die Betenden setzten dabei ihre Thoralesung fort. Man muß wissen, daß die chassidischen Lieder einen wirklich besessen machen können, man muß immer lauter und lauter singen und mit den Händen auf den Tisch hauen und mit den Füßen auf den Boden stampfen. Und nachher sangen sie noch alle zusammen, das heißt sie brüllten:

Ki-mi Zi-on
Te-ze Tho-ra!
U-de-war Haschem
Mi Je-ru-scha-la-im!

* Gruppe von mindestens zehn Männern für Gebet und Thoralesung

(Denn von Zion geht die Lehre aus und das Wort des Ewigen von Jeruschalaim!)
Draußen schien inzwischen die Sonne, aber Peter blieb mit den anderen den ganzen Tag in der dunklen Bruchbude, denn wiederum aus konspirativen Gründen wollten die Rebjata lieber nicht spazierengehen. Ein Schabbes im Mai ist aber unendlich lang, und so legten sich einige der Rebjata noch mal aufs Ohr bis zur Schelosch Sude, der dritten vorgeschriebenen Mahlzeit. Jemand drückte Peter eine Broschüre über die Niddagesetze, also die Ehevorschriften, in die Hand. Diese Broschüre war vor 50 Jahren irgendwo in Ungarn erschienen und nun in den USA in russischer Übersetzung wieder neu gedruckt und dann weiß Gott wie hierhergelangt. Es gab viele solcher Bücher in der MARINA ROŽA. Während Peter die Ehegesetze durcharbeitete, lasen andere in den Schriften des ersten Lubawitscher Rebben, Rabbi Schneor Zalman Ben Baruch, vom Ende des 18. Jahrhunderts. Dieser erste Lubawitscher Rebbe war, wie übrigens fast alle Lubawitscher Rebben nach ihm, einige Zeit in der Peter-und-Paul-Festung verhaftet gewesen. Der Tag seiner Entlassung aus dieser Haft wird bis heute von allen seinen Anhängern auf der ganzen Welt, aber, wie man sich leicht vorstellen kann, besonders in Leningrad und Moskau als eine Art Feiertag begangen. Peter sollte dann später in Leningrad, von den Moskauer an die dortigen Rebjata übergeben, Stadtführungen durch das jüdische Leningrad miterleben, während derer auch all die Aufenthaltsorte des Lubawitscher Rebben

gezeigt wurden. Diese Führungen fanden wöchentlich statt, aber leider unter immer größerer Beteiligung der Miliz, bis sie schließlich ganz aufgelöst wurden.

Der Schabbes in der MARINA ROŽA neigte sich langsam. Einige lasen, einige schliefen, einige klaubten zwischen den Tellern, Schüsseln und geöffneten Büchsen noch Reste von Obst und Gebäck vom Tisch. Nur an den Alten war noch einmal eine Art Geschäftigkeit zu bemerken. Sie liefen heraus, holten eine fremde Frau herein, drückten ihr etwas in die Hand und gaben dazu umständliche Erklärungen. Dann sah Peter, wie die Frau hinausging und etwas am Bretterzaun zur Straße hin befestigte, und dann sah er auch, was es war: es war eine rote Fahne. Dieser Schabbes im Mai 1982 war nämlich der Vortag der Wahlen zum Obersten Sowjet, und aus allen Häusern der Straße wehten schon die Fahnen, nur aus der MARINA ROŽA nicht. Das Anbringen einer Fahne gehört aber durchaus zu den Arbeiten, die einem Juden am Schabbes verboten sind, und nur wegen der besonderen Zwangslage glaubten die Alten das Recht in Anspruch nehmen zu können, einen Nichtjuden, einen Schabbesgoi, darum zu bitten.

Ganz spät, gegen elf, nach einer mehr symbolisch gehaltenen dritten Mahlzeit, wurde der Schabbes in der MARINA ROŽA verabschiedet, so wie er überall auf der Welt verabschiedet wird mit dem Unterscheidungsgebet, darin Gott gepriesen wird, weil er unterschieden hat. Unterschieden zwischen Licht und Finsternis, Schabbes und Woche, Israel und den

Völkern und zwischen Heiligem und Unheiligem. Jeder tauchte noch die Spitze eines Fingers in die Schale mit dem ausgeschütteten Wein, worin die Kerze gelöscht worden war, und benetzte damit seine Augenlider und das Innere seiner Jackettasche, damit ein Rest vom Schabbes den Geist erhelle und die Tasche nicht ganz leer werden lasse. Peter schnappte seine Sachen, ließ sich sein Geld aus dem verschlossenen Schrank wiedergeben, hinterließ die vor der Thora versprochenen fünf Rubel und mußte sich beeilen, daß er noch einen Bus und eine Metro zurück in sein Hotel erwischte.

Auf dem Weg zur Metro erzählte ihm Ury von seinem ersten »Farbrengen«, so nennen nämlich die Chassidim diese Art Zusammensein, in der MARINA ROŽA. Er sei damals auch fix und fertig gewesen, aber man gewöhne sich daran, und jetzt sei es wirklich so, daß er sich die ganze Woche auf den Schabbes in der MARINA ROŽA freue. Und dann sagte er »tschüs« und »bis bald«, und sie trennten sich, denn jeder mußte eine andere Metro nehmen.

Die Zeit der MARINA ROŽA aber war bald vorbei. Statt des Moschiach, den sie so sicher erwarteten, kam die Miliz, und Ury ging im Frack und schwarzem Hut zuerst ins Gefängnis und dann nach Sibirien. Peter hat von der Gerichtsverhandlung und dem Urteil aus der Neuen Zürcher Zeitung erfahren, und er hat auch erfahren, daß die frommen Juden in Zürich für Ury am Tage des Prozesses gefastet haben. Aber weder von der MARINA ROŽA noch von einem der Rebjata hat Peter je wieder etwas gehört.

Bonsoir, Madame Benhamou

Es ist Montagabend, und ich gehe auf den Hof und nehme das Schloß von meinem Fahrrad, steige auf und biege zweimal um die Ecke, dann bin ich schon auf der großen Allee. Die fahre ich entlang, immer geradeaus fahre ich auf der breiten Allee, der AVENUE. Sie heißt: AVENUE DE LA FORÊT NOIRE. Ich fahre eine Viertelstunde, und immerzu denke ich dabei, wo bin ich, was tue ich hier, und denke an die Frage, die man mir ununterbrochen stellt: So weit weg, warum?
Das hier ist die AVENUE DE LA FORÊT NOIRE, also hier bin ich, auf der AVENUE DE LA FORÊT NOIRE. Hier bin ich gelandet vom dreifachen Todessprung ohne Netz: vom Osten in den Westen, von Deutschland nach Frankreich und aus der Assimilation mitten in das Thora-Judentum hinein.
Warum: weil ich es so wollte. Warum wollte ich es: wegen der Auferstehung der Toten.
Und weil Thora Lehre und Talmud lernen heißt, fahre ich jetzt auf der AVENUE DE LA FORÊT NOIRE auf meinem Fahrrad zum »Lernen« bei Madame Benhamou. Wir treffen uns da, vier, fünf Frauen, und weil wir alle Kinder haben, können wir uns erst versammeln, wenn es so spät ist und wir alle schon müde sind. Wir setzen uns in das unaufgeräumte Wohnzimmer, schieben den Berg Unordnung auf dem Tisch nach hinten, daß er noch höher wird, und dann schlägt jede ihr Buch auf und wir lesen die Thora mit Raschis Kommentar, Wort für Wort, Satz für Satz,

und Madame Benhamou erläutert und kommentiert noch aus anderen Quellen, dann diskutieren wir, Wort für Wort und Satz für Satz, und wir streiten uns über Moses und Aron, als ob es heute in der Zeitung gestanden hätte. Manchmal liest Madame leise etwas nach, um es dann zu übersetzen, und wenn sie leise liest, hört man nebenan ihren Mann. Er sitzt im Nebenzimmer mit einem anderen, und sie »lernen«, das heißt, sie lesen und diskutieren auch, so wie wir. Die Tür zur Küche steht auf, Madame kocht nebenbei das Essen für den nächsten Tag. Und dann ruft eines der Kinder, oder mehrere, und sie verschwinden beide, Madame und Monsieur, in den Kinderzimmern, und verteilen Milch und Nasentropfen, und einige der Kinder kommen wieder mit heraus und bleiben auf dem Schoß von Madame sitzen oder hocken sich auf den Tisch und spielen mit dem Berg Unordnung, bis wir fertig »gelernt« haben. Das ist so gegen Mitternacht, meistens.

Als ich noch in Berlin war, bin ich nie auf dem Fahrrad gefahren, aber hier ist nun alles anders, sogar das. Auf meinem Weg zu Madame Benhamou fahre ich über die PONT D'ANVERS, und ich sehe über die Brücke und über den Fluß. Da liegt die Altstadt von Strasbourg, und weil es schon dunkel ist, sehe ich sie als Silhouette, die alten Häuser an dem Quai und dahinter dieses Durcheinander von Häusern und Dächern und Giebeln und Balkons und Treppen, so viele Formen einer chaotischen Ordnung, aus der ragt der Münsterturm wie der Zeigefinger Gottes, wahrhaftig, gegen den aufgerissenen Himmel, denn der Himmel ist hier über dem Rheintal immer aufgerissen. Bis auf den heutigen Tag gibt es in dieser Stadt kein Gebäude, das den Münster überragt oder nur annähernd an ihn herankommt, kein Hochhaus und keinen Schornstein. So sieht man ihn überall, von welcher Seite auch immer man kommt, weithin als erstes Zeichen der Stadt. Und immer, wenn ich das sehe – es ist ja nur ein kurzer Blick über die Brücke, denn ich bin auf dem Fahrrad, und vor und hinter mir und an beiden Seiten bedrängen mich die Autos –, immer wenn ich das sehe, läuft es mir kalt den Rücken runter, und ich muß heulen, weil es so schön ist, und ich denke, hier werde ich bleiben.

Aber wenn ich daran denke, wie es war, als wir hier angekommen sind, oder schlimmer noch eigentlich, als wir nach den ersten Ferien hierher nach Hause zurückgekehrt sind, nach Hause in die Fremde.
Zuerst bin ich nur auf Zehenspitzen gegangen, so fremd war mir der Boden, und nur in der innersten Wohnung konnte ich mich an einigen Gegenständen festhalten, die noch von DORT waren und die hier genauso verloren rumstanden und rumlagen wie ich und bei deren Anblick ich so oft dachte, ach besser, wir hätten sie auch dagelassen, sie tragen viel zu viel Erinnerung, das hätten wir alles dalassen müssen, alles.
Post keine, Telefon still. Hier kannten wir noch niemand, und von DORT rührte sich keiner mehr. Aus der Ferne sogar spürte ich das Verletztsein und in

dem Schweigen Strafe. Und wozu schreiben, wir werden uns sowieso nicht wiedersehen.
Dann die ersten Schritte raus, einmal bis zur nächsten Ecke, dann mit den Kindern bis zum Spielplatz, und nach einer Woche ein kleines Stückchen weiter, aber schnell wieder zurück, dann bis zum Markt, da traf ich zwei Frauen, die ich flüchtig kannte, alle Leute hier kannten wir ja nur flüchtig, und ich mußte mich zwingen, nicht vor ihnen wegzulaufen. Es war so schwer in dieser fremden Sprache mit diesen fremden Menschen, so schwer. Ich konnte es nicht ertragen, wenn sie mich nicht verstanden, und dann dieser verständnislose Blick und wie mit dem Messer geschnitten: »Comment?« Wie fremd mir die französische Sprache war, ich hatte alle meine früheren Vorstellungen über ihre Schönheit und Eleganz verloren und fand sie jetzt nur künstlich und angestrengt mit ihrem ewigen Nasalieren und all den fallengelassenen Endungen, und manchmal hätte ich sagen wollen: Sprich doch bitte wie ein normaler Mensch. Ich selber schämte mich, die Hälfte der Buchstaben aller Worte einfach wegzulassen.
Und doch stieg in diesem furchtbaren Unverstandensein auch eine Erkenntnis in mir auf: Nun weiß ich endlich, was es heißt, fremd zu sein. Dieses vage schon immer anwesende Gefühl hatte sich hier in eine Wirklichkeit verwandelt. Es war das deutlichste auf der Welt: Ich bin eine Fremde. Und so schwer, wie es war, brachte es mir auch die Erleichterung, die eine klare Erkenntnis eben bringt, aber nur an den

guten Tagen, wenn ich stark war. Für die anderen hatte ich mir folgenden Plan gemacht: Ich will jetzt ununterbrochen hier bleiben, einfach hier sein, sozusagen meine Zeit absitzen, ohne immer wieder wegzufahren und zurückzukommen, und solange mit dem Fremden zusammensein, bis wir uns aneinander gewöhnt haben, das Fremde und ich. Habe ich Heimweh? Ich hab Herzweh.
Langsam, langsam ist die Wohnung gewohnter und sind die Tage alltäglicher geworden. Ich habe anfangen können, mich umzusehen. Es ist ein billiges Viertel hier, wo wir wohnen. Alles Zugereiste, Fremde wie wir. Schwarze, Maghrebins, Türken und viele andere, von ihrem Aussehen mir so unbekannt, daß ich ihre Herkunft nicht erraten kann. In dem Waschsalon über der Straße unterhalten wir uns manchmal, und sie freuen sich, wenn ich mich für ihr Land interessiere, und erzählen mir von der CÔTE D'IVOIRE oder der Stadt Fez. Aber seltsam, ich spreche nicht gerne von meinem.

Das alles geht mir durch den Kopf auf meinem Fahrrad auf dem Weg zu Madame Benhamou, auf der Brücke mit dem schönen Blick über die Altstadt. Hinter der Brücke beginnt schon das QUARTIER JUIF. Ich wußte es ja vorher, daß es hier so viele Juden gibt, und doch bin ich erstaunt, wenn ich es jetzt sehe, und bin erschrocken und denke, daß es so in Berlin vor Hitler war, und denke auch, daß das nicht gut gehen kann auf die Dauer. Und bin erschrocken über meine Erschrockenheit.

So viele Juden, die so viele Kinder haben, ich habe in meinem Leben noch nicht so viele Kinder gesehen. Jeden Morgen bringe ich meinen kleinen Sohn in den jüdischen Kindergarten, und mein großer Sohn geht in die jüdische Schule. Er hat zwei Lehrerinnen, die eine heißt Madame Dreyfuß, und da bekomme ich wieder Angst, aber die andere heißt Madame Gottfarsten, da fasse ich wieder Mut und hoffe, daß alles gutgehen wird.
Jetzt fahre ich am Haus von Monsieur Buchinger, den sie hier natürlich »Büschongshé« aussprechen, vorbei, da waren wir am vorigen Sonntag zur Beschneidung des Enkelkindes eingeladen. Es waren Hunderte Leute gekommen, drei riesige Zimmer voll, alles wegen des kleinen Babys, und der Vater des Kindes, der Arzt ist, hat seinen Sohn selbst beschnitten, so wie Abraham Itzchak, und als er es hinter sich gebracht hatte, haben alle geheult, Frauen und Männer, nur der Kleine war ruhig, denn man hatte ihn ja mit Zucker und Rotwein betäubt.
Fast jede Woche gibt es solche Feste hier, Verlobungen, Beschneidungen, Hochzeiten, und sie singen und tanzen und klatschen wie toll dabei, daß es bis über die Straße klingt. Ich selbst kann da nicht mittun, und nicht nur, weil ich wegen der Trauer um meinen Vater dieses ganze erste Jahr über zu Hause bleibe. Neulich saß ich allein in der Wohnung und habe sie im gegenüberliegenden Haus lärmen und tanzen gehört. Oznat (aus Moskau) hatte sich mit Roger (aus Schottland) verlobt. Sie tanzen wie auf Siegesfeiern.

Und nun bin ich mit meinem Fahrrad schon weit hinten auf der AVENUE DE LA FORÊT NOIRE, wo sie bereits AVENUE DES VOSGES heißt, und da stehen rechts und links die Mädchen, von denen ich am Anfang immer dachte, sie warten auf ihren Freund. Aber nein, sie stehen immer da, immer so aufgereiht, und der Blick! Warum bin ich eigentlich so schokkiert? Ich sehe sie nun oft, weil ich ja oft zum »Lernen« fahre, immer an ihnen vorbei, und nachdem ich sie also kenne, wenigstens wiedererkenne, will ich ihnen zulächeln, aus welcher Solidarität auch immer. Aber sie lächeln nie zurück, sie sehen mich immer nur kalt an, und so fahre ich schuldbewußt an ihnen vorbei. Welche Schuld bloß?
Und dann kommt auf meinem Weg auf der rechten Seite noch so ein schummeriges, überfülltes, rauchiges Café, das ich immer nur an diesen Abenden sehe, wie eine beleuchtete Theaterdekoration, aber tags konnte ich es noch nie wiederfinden. Und dann bin ich endlich an »meiner« Straße, ich biege ein, und hinter dem Hotel »Lutetia«, da ist es schon, Nr. 6, wo Madame Benhamou wohnt. Ich schließe mein Fahrrad an, ich klingele, ich steige die vier Treppen hoch, und mehrere Kinder trampeln mir bis in die dritte Etage entgegen. In der Tür steht Monsieur und empfängt mich mit dem Satz: »C'est un grand balagan aujourd'hui chez nous«*, und Madame ruft aus der Küche: »Comme toujours.« Und ich trete ein und sage: »Bonsoir, Madame Benhamou.«

* *balagan* ist ein aus dem Russischen ins Hebräische und nun auch bis zu den Juden nach Frankreich gewandertes Wort für: Unordnung.

Anna Mitgutsch im dtv

»Hier ist eine Autorin am Werk, die in puncto psychologischer Kompetenz nicht so leicht ihresgleichen hat.«
Dietmar Grieser in der ›Welt‹

Die Züchtigung
Roman · dtv 10798
Eine Mutter, die als Kind geschlagen und ausgebeutet wurde, kann ihre eigene Tochter nur durch Schläge zu dem erziehen, was sie für ein »besseres Leben« hält. Ein literarisches Debüt, das fassungslos macht. »Dieses Buch muss gelesen werden ..., weil es eines der wenigen Bücher ist, die in ihren Leser/innen etwas bewirken, etwas bewegen, vielleicht auch etwas verändern.« (Ingrid Strobl in ›Emma‹)

Das andere Gesicht
Roman · dtv 10975
Sonja und Jana verbindet von Kindheit an eine fragile, sich auf einem schmalen Grat bewegende Freundschaft. Später gibt es Achim, den beide lieben, der beide begehrt, der sich – ein abenteuernder, egozentrischer Künstler – nicht einlassen will auf die Liebe ...

Ausgrenzung
Roman · dtv 12435
Die Geschichte einer Mutter und ihres autistischen Sohnes. Die Geschichte einer starken Frau und eines zarten Kindes, die sich selbst eine Welt erschaffen, weil sie in der Welt der anderen nicht zugelassen werden.

In fremden Städten
Roman · dtv 12588
Eine Amerikanerin in Europa – zwischen zwei Welten und keiner ganz zugehörig. Sie verlässt ihre Familie in Österreich, wo sie sich nie zu Hause gefühlt hat, und kehrt zurück nach Massachusetts. Dort versucht sie an ihr früheres Leben und ihre Herkunft anzuknüpfen. Doch ihre Erwartungen wollen sich auch hier nicht erfüllen ... »Mitgutsch schreibt aus dem Zentrum des Schmerzes, und sie schreibt, als ginge es um ihr Leben.« (Erich Hackl in der ›Zeit‹)

Angelika Schrobsdorff im dtv

»Die Schrobsdorff hat ihr Leben lang nur wahre Sätze geschrieben.«
Johannes Mario Simmel

Die Reise nach Sofia
dtv 10539
Sofia und Paris – ein Bild zweier Welten: Beobachtungen über Konsum und Liebe, Freiheit und Glück in Ost und West.

Die Herren
Roman
dtv 10894
Ein psychologisch-erotischer Roman, dessen Erstveröffentlichung 1961 als skandalös empfunden wurde.

Jerusalem war immer eine schwere Adresse
dtv 11442
Ein Bericht über den Aufstand der Palästinenser, ein sehr persönliches, menschliches Zeugnis für Versöhnung und Toleranz.

Der Geliebte
Roman
dtv 11546

Der schöne Mann und andere Erzählungen
dtv 11637

Die kurze Stunde zwischen Tag und Nacht
Roman · dtv 11697

»Du bist nicht so wie andre Mütter«
Die Geschichte einer leidenschaftlichen Frau
dtv 11916

Spuren
Roman
dtv 11951
Ein Tag aus dem Leben einer jungen Frau, die mit ihrem achtjährigen Sohn in München lebt.

Jericho
Eine Liebesgeschichte
dtv 12317

Grandhotel Bulgaria
Heimkehr in die Vergangenheit
dtv 24115
Eine Reise nach Sofia heute.

Von der Erinnerung geweckt
dtv 24153
Ein Leben in fünfzehn Geschichten.

Margriet de Moor im dtv

»Ich möchte meinen Leser genau in diesen zweideutigen Zustand versetzen, in dem die Gesetze der Wirklichkeit aufgehoben sind.«
Margriet de Moor

Erst grau dann weiß dann blau
Roman · dtv 12073
Eines Tages ist sie verschwunden, einfach fort. Ohne Ankündigung verlässt Magda ihr angenehmes Leben, die Villa am Meer, den kultivierten Ehemann. Und ebenso plötzlich ist sie wieder da. Über die Zeit ihrer Abwesenheit verliert sie kein Wort. Die stummen Fragen ihres Mannes beantwortet sie nicht.

Der Virtuose
Roman · dtv 12330
Neapel zu Beginn des 18. Jahrhunderts – die Stadt des Belcanto zieht die junge Contessa Carlotta magisch an. In der Opernloge gibt sie sich, aller Erdenschwere entrückt, einer zauberischen Stimme hin: Es ist die Stimme Gasparo Contis, eines faszinierend schönen Kastraten. Carlotta verführt den in der Liebe Unerfahrenen nach allen Regeln der Kunst.

Herzog von Ägypten
Roman · dtv 12716
Die Liebesgeschichte zwischen Lucie, der Bäuerin, und Joseph, dem Zigeuner. Und gleichzeitig ein ganzes Panorama menschlicher Schicksale …

Rückenansicht
Erzählungen · dtv 11743

Doppelporträt
Drei Novellen · dtv 11922

Ich träume also
Erzählungen · dtv 12576

»De Moor erzählt auf unerhört gekonnte Weise. Ihr gelingen die zwei, drei leicht hingesetzten Striche, die eine Figur unverkennbar machen. Und sie hat das Gespür für das Offene, das Rätsel, das jede Erzählung behalten muss, von dem man aber nie sagen kann, wie groß es eigentlich sein soll und darf.« (Christof Siemes in der ›Zeit‹)

Brigitte Kronauer im dtv

»Brigitte Kronauer ist die beste
Prosa schreibende Frau der Republik.«
Marcel Reich-Ranicki

Die gemusterte Nacht
Erzählungen · dtv 11037
Minutiös beobachtete, von einer mitreißend genauen Sprache getragene Geschichten aus dem Alltag.

Berittener Bogenschütze
Roman · dtv 11291
Ein Junggeselle, Literaturwissenschaftler, auf der Suche nach dem »schönen Quentchen Verheißung«. »Voller Leben, Gegenwart, direkt, komisch, sinnlich.« (Sibylle Cramer in der ›Frankfurter Allgemeinen Zeitung‹)

Rita Münster
Roman · dtv 11430
»Ein weiblicher Entwicklungsroman, ohne Wehleidigkeit, ohne Berufung auf das wärmende Gruppengefühl. In ihrer starken Individualität, ihren Widersprüchen und ihrem Beharren auf Glück ist Rita Münster eine ganz und gar überzeugende Figur.« (Leonore Schwartz im ›Deutschen Allgemeinen Sonntagsblatt‹)

Die Frau in den Kissen
Roman · dtv 12206
Alltagsmomente in der Großstadt, ein erotischer Roman. »... gehört zu den wenigen Büchern, die wirklich verblüffen.« (Iris Radisch in der ›Zeit‹)

Frau Mühlenbeck im Gehäus
Roman · dtv 12732
Die Lebensgeschichten zweier Frauen, kunstvoll und spannend erzählt, bestechend durch ihre präzisen Beobachtungen von Schul- und Hausfrauenalltag.

Das Taschentuch
Roman · dtv 12888
Die Geschichte eines Apothekers. »Die Galerie kunstvoll-lebensnah erzählter Porträts aus der bürgerlich-mittelständischen westdeutschen Gesellschaft, die diese Schriftstellerin sich und ihren Lesern einrichtet, ist um ein packendes Beispiel reicher.« (Heinrich Vormweg in der ›Süddeutschen Zeitung‹)

Mary Wesley im dtv

»Mary Wesley ist wie Jane Austen mit Sex.«
Independent on Sunday

Eine talentierte Frau
Roman · dtv 11650
Hebe ist noch keine zwanzig, mittellos und schwanger, aber sie nutzt ihre Talente gut.

Ein Leben nach Maß
Roman
dtv großdruck 25154
Drei Männer begleiten Flora ein Leben lang … »Eine Vierer-Liebesbeziehung mit viel Esprit, sehr charmant und etwas böse.« (Karin Urbach)

Matildas letzter Sommer
Roman · dtv 12176
Matilda glaubt sich mit Ende Fünfzig reif für einen würdigen Abgang. Doch sie läßt sich auf ein letztes Abenteuer ein …

Führe mich in Versuchung
Roman · dtv 20117
Fünfzig Jahre lang hat Rose zwei Männern die Treue gehalten. Jetzt, mit 67 Jahren, nimmt sie endlich ihre Zukunft selbst in die Hand.

Die letzten Tage der Unschuld
Roman · dtv 12214
Sommer 1939: Fünf junge Leute verbringen die letzten unbeschwert glücklichen Tage vor dem Krieg.

Zweite Geige
Roman
dtv großdruck 25084
Laura Thornby will sich auf keine enge Beziehung einlassen. Doch dann verliebt sie sich in den viel jüngeren Claud.

Ein böses Nachspiel
Roman · dtv 20072
Manche Dinge bereut man sein Leben lang … Aber Henry macht das Beste aus seiner mißglückten Ehe.

Ein ganz besonderes Gefühl
Roman · dtv 20120
Eine Liebesgeschichte zwischen zwei sehr eigenwilligen Menschen – und eine Liebeserklärung an den Londoner Stadtteil Chelsea.

Maxie Wander im dtv

»Mich interessiert, wie Frauen ihre Geschichte erleben, wie sie sich ihre Geschichte vorstellen.«

Guten Morgen, du Schöne
Protokolle nach Tonband
dtv 11761

19 Frauen erzählen von sich und ihren Gefühlen, ihrer Familie, ihrer Arbeit, ihren Männern, sie äußern sich über Liebe und Sexualität, über Politik, über ihre Ansicht von der »richtigen« Art zu leben. Ein Kultbuch der Frauenliteratur.

»Das Erstaunlichste in diesen Berichten ist der Witz, die Lustigkeit, die Ironie und Selbstironie – allerdeutlichstes Zeichen einer Selbstbefreiung.« (Kyra Stromberg) – »Ein aufregendes Buch, hier und drüben, und für jedermann, gleich, welchen Geschlechts.« (Manfred Jäger)

Leben wär' eine prima Alternative
Tagebücher und Briefe
Herausgegeben von Fred Wander
dtv 11877

»So, als wollten wir Zwiesprache halten mit dieser phantasiereichen, temperamentvollen und mutigen Frau, die bis zu ihrem Tod nicht nur gegen die Krankheit ankämpfte, sondern auch gegen die eigene Unzulänglichkeit, blättern wir in ihren Aufzeichnungen.« (Barbara Gräfe)

Ein Leben ist nicht genug
Tagebuchaufzeichnungen und Briefe
Herausgegeben von Fred Wander
dtv 12159

Aus diesen ganz privaten Aufzeichnungen von einer Parisreise, aus Tagebuchnotizen und Briefen an Freunde entsteht das Bild einer klugen, neugierigen, mutigen Frau, die immer auf der Suche nach dem Leben war und diese Suche schöpferisch verarbeitet hat.